LE SAGOUIN

("The Little Misery")

FRANÇOIS MAURIAC

DE L'ACADÉMIE FRANÇAISE

LE SAGOUIN

Paris

LIBRAIRIE PLON

LES PETITS-FILS DE PLON ET NOURRIT

Imprimeurs-Éditeurs - 8, rue Garancière, 6ᵉ

I

— Pourquoi me soutenir que tu sais ta leçon? Tu vois bien que tu ne la sais pas!... Tu l'as apprise par cœur? vraiment?

Une gifle claqua.

— Monte à ta chambre. Que je ne te voie plus jusqu'au dîner.

L'enfant porta la main à sa joue, comme s'il avait eu la mâchoire brisée :

— Oh! là là! vous m'avez fait mal! (il marquait un point, il prenait son avantage.) Je le dirai à Mamie...

Paule saisit avec rage le bras fluet

de son fils et lui administra une seconde gifle.

— A Mamie? et celle-là? Est-ce à
papa que tu vas aller t'en plaindre?
Eh bien, qu'est-ce que tu attends?
Allons... va !

Elle le poussa dans le couloir, ferma
la porte, la rouvrit pour jeter à Guillaume son livre et ses cahiers. Il s'ac-
croupit et les ramassa, toujours pleu-
rant. Puis d'un seul coup, le silence :
à peine un reniflement dans l'ombre.
Il détalait enfin !

Elle écoutait le bruit décroissant
de sa course. Bien sûr, ce n'était pas
dans la chambre de son père qu'il irait
chercher un refuge. Et puisque à ce
moment même, sa grand'mère, sa
« Mamie » tentait pour lui une démarche auprès de l'instituteur, il irait
se faire plaindre à la cuisine par Frau-

lein. Déjà il devait « lécher une casse-
role » sous le regard attendri de l'Autrichienne. « Je le vois d'ici... » Ce
que Paule voyait, quand elle pensait à
son fils, c'étaient des genoux cagneux,
des cuisses étiques, des chaussettes
rabattues sur les souliers. A ce petit
être sorti d'elle, la mère ne tenait
aucun compte de ses larges yeux cou-
leur de mûres, mais en revanche elle
haïssait cette bouche toujours ouverte d'enfant qui respire mal, cette
lèvre inférieure un peu pendante,
beaucoup moins que ne l'était celle
de son père, — mais il suffisait à Paule
qu'elle lui rappelât une bouche dé-
testée.

La rage en elle refluait : la rage, ou
simplement peut-être l'exaspération?
Mais il n'est pas si aisé de discerner

l'exaspération de la haine. Elle revint
dans la chambre, s'arrêta un instant
devant la glace de l'armoire. Cette
blouse de laine verdâtre, elle la reprenait à chaque automne, l'encolure
était trop large. Ces taches avaient
reparu malgré le nettoyage. La jupe
marron, mouchetée de boue, était
légèrement relevée par devant comme
si Paule eût été enceinte. Dieu savait
pourtant !

Elle prononça à mi-voix : « La baronne de Cernès. La baronne Galéas
de Cernès. Paule de Cernès... » Un
sourire détendit sa bouche sans éclai-
rer ce visage bilieux, envahi de poils
follets (les garçons de Cernès se mo-
quaient des favoris de Mme Galéas).
Elle riait toute seule, songeant à la
fille qu'elle avait été et qui, treize
ans plus tôt, devant un autre miroir,

s'encourageait à franchir le pas, en répétant ces mêmes mots : « Le baron et la baronne Galéas de Cernès... *M. Constant Meulière, ancien maire de Bordeaux, et Mme Meulière ont le plaisir de vous faire part du mariage de leur nièce Paule Meulière, avec le baron Galéas de Cernès.* »

Ni son oncle ni sa tante, bien qu'ils fussent impatients de se débarrasser d'elle, ne l'avaient poussée à cette folie ; ils l'avaient même mise en garde. Au lycée, qui donc lui aurait appris à vénérer les titres? A quelle impulsion avait-elle cédé? Elle se sentait incapable aujourd'hui de la définir. La curiosité peut-être, le désir de forcer l'entrée d'un milieu interdit... Elle n'avait jamais oublié, au jardin public, ce groupe des enfants nobles : les Curzay, les Pichon-Longueville, avec lesquels il n'était pas question de jouer. La nièce du maire tournait en vain autour des pimbèches : « Maman nous défend de jouer avec vous... » La jeune fille avait voulu venger l'enfant sans doute. Et puis ce mariage, c'était une porte, croyait-elle, ouverte sur l'inconnu, un point de départ vers elle ne savait quelle vie. Elle n'ignore plus aujourd'hui que ce qu'on appelle un milieu fermé, l'est à la lettre : y pénétrer semblait difficile, presque impossible ; mais en sortir !...

Avoir perdu sa vie pour ça ! Ce n'était pas un regret qui lui vînt de temps à autre et c'était beaucoup plus qu'une obsession : une présence, une contemplation de tous les instants, un face-à-face avec cette vanité imbécile, avec cette bêtise criminelle, clef

de son irréparable destin. Pour comble
elle ne devint même pas « Mme la
baronne ». Il n'existait qu'une Mme la
baronne : sa belle-mère, la vieille.
Paule ne serait jamais que Mme Galéas. On lui accolait le prénom inso-
lite de l'idiot. Ainsi participait-elle
plus étroitement à cette déchéance
qu'elle avait épousée, qu'elle avait
faite sienne à jamais.

La nuit, cette dérision du sort,
l'horreur de s'être vendue pour une
vanité dont l'ombre même lui était
dérobée, occupait son esprit, la tenait
éveillée jusqu'à l'aube. Même lorsqu'elle se distrayait avec des histoires, avec des imaginations parfois
obscènes, le fond de sa pensée demeurait immuable : elle se débattait toute
la nuit dans les ténèbres d'une fosse
où elle-même s'était précipitée et d'où

elle savait qu'elle ne remonterait pas.
Toujours la même nuit, quelle que
fût la saison : dans les vieux peupliers
de la Caroline, tout près de sa fenêtre,
des chouettes d'automne hurlaient à
la lune comme des chiens, moins
odieuses mille fois que les rossi-
gnols implacables du printemps. Cette
même fureur d'avoir été dupe l'ac-
cueillait au réveil, l'hiver surtout, à
l'heure où Fraulein tirait brutale-
ment les rideaux : Paule émergeant
des ténèbres, voyait à travers la vitre
quelques fantômes d'arbres, sous des
haillons de feuilles, agiter dans le
brouillard leurs membres noirs.

Encore était-ce le meilleur de la
journée, ces matins où dans la cha-
leur du lit désert elle s'engourdissait.
Le petit Guillaume oubliait volontiers de venir l'embrasser. Souvent

Paule entendait derrière la porte la vieille baronne qui pressait à mi-voix l'enfant d'aller auprès de sa mère. Autant qu'elle détestât sa belle-fille, elle ne transigeait pas sur les principes. Guillaume alors se glissait dans la chambre et, depuis le seuil, observait dans les oreillers cette tête redoutable, ces cheveux tirés sur les tempes et qui découvraient un front étroit, mal délimité, cette joue jaune (et le point de beauté parmi un duvet noir) sur laquelle il appuyait vite ses lèvres ; et il savait d'avance que sa mère essuierait la place de ce rapide baiser et qu'elle dirait avec dégoût : « Tu me mouilles toujours... »

Elle ne luttait plus contre ce dégoût. Était-ce sa faute si elle n'obtenait rien de ce pauvre être ? Que faire d'un enfant borné, sournois, qui

se sent soutenu par sa grand'mère et
par sa vieille Fraulein? Mais la baronne elle-même commençait à entendre raison : elle avait consenti à
tenter une démarche auprès de l'instituteur. Oui, de l'instituteur laïque !
On n'avait pas le choix : le curé des-
servant trois paroisses logeait d'ailleurs à plus d'une lieue du château.
Deux fois, en 1917 et en 1918 après
l'armistice, on avait essayé de mettre
Guillaume pensionnaire, d'abord à
Sarlat, chez les jésuites, puis dans un
petit séminaire des Basses-Pyrénées.
Il avait été renvoyé au bout d'un tri-
mestre : ce petit sagouin salissait ses
draps ; ces messieurs n'étaient pas
outillés, surtout durant ces années-
là, pour accueillir des enfants arriérés
ou infirmes.

Cet instituteur, ce jeune frisé aux

yeux rieurs, ce rescapé de Verdun, comment recevrait-il la vieille baronne? Serait-il flatté qu'elle se fût dérangée pour lui? Paule s'était dérobée à l'entrevue : elle n'osait plus affronter personne ; ce brillant maître d'école, surtout, lui faisait peur. Le régisseur de Cernès, Arthur Lousteau, un *Action française* pourtant, l'admirait, assurait qu'il irait loin... La vieille baronne, comme tous les nobles de campagne, songeait Paule, savait parler aux paysans. Elle connaissait les finesses du patois. C'était même l'un des charmes qu'on pouvait lui trouver encore que ce vieux langage dont elle usait avec une grâce surannée... Oui, mais l'instituteur socialiste était d'une autre race, et les manières trop affables de la baronne lui paraîtraient peut-être injurieuses.

Cette affectation de supprimer les distances ne prenait plus auprès des garçons de cette espèce. Enfin! il était revenu blessé de Verdun : cela créerait un lien avec la vieille dame dont le fils cadet, Georges de Cernès, avait « disparu » en Champagne.

Paule ouvrit la fenêtre et vit au bout de l'avenue la maigre silhouette penchée de la baronne. Elle s'appuyait fortement sur sa canne. Le chapeau de paille noire était perché haut sur son chignon. Elle avançait entre les vieux ormes embrasés, elle-même tout enveloppée du soleil à son déclin. Paule s'aperçut que la vieille parlait seule, faisait des gestes. Ce n'était pas bon signe qu'elle fût ainsi agitée. La jeune femme descendit l'escalier à double circonvolution, qui était la merveille de Cernès et la rejoignit dans le vestibule.

— Un goujat, ma fille, comme il fallait s'y attendre.

— Il refuse? Êtes-vous certaine de ne pas l'avoir froissé? de ne pas avoir pris vos grands airs? Je vous avais pourtant expliqué...

La vieille agitait la tête, mais c'était cette protestation involontaire des vieillards qui paraissent dire non à la mort. Et une fleur d'étoffe blanche bougeait drôlement sur le chapeau de paille. Ses yeux étaient voilés de larmes qui ne coulaient pas.

— Quel prétexte vous a-t-il opposé?

— Il a dit qu'il n'avait pas le temps... que le secrétariat de la mairie ne lui laisse aucun loisir...

— Allons donc ! il a dû trouver d'autres raisons...

— Mais non, ma fille, je vous assure. Il en venait toujours à ses occupations, il n'a pas voulu en démordre.

La baronne de Cernès se tenait à la rampe et s'arrêtait souvent pour reprendre haleine. Sa bru la suivait pas à pas, de marche en marche, la harcelant de questions avec cet accent de rage obstinée dont elle n'avait pas conscience. Elle s'aperçut pourtant qu'elle faisait peur à la vieille et s'efforça de baisser le ton ; mais ses paroles sifflaient entre les dents serrées.

— Pourquoi m'avez-vous dit d'abord qu'il s'était conduit comme un goujat ?

La baronne s'assit sur la banquette

du palier, branlant toujours la tête,
et sa grimace était peut-être un sourire. Paule se remit à crier : oui ou
non, n'avait-elle pas accusé l'instituteur de goujaterie?

— Non, ma fille, non, j'ai exa-
géré... Peut-être ai-je mal compris.
Il se peut que ce garçon ait parlé en
toute innocence... J'ai vu une allusion là où il n'en mettait aucune.

Et comme Paule insistait : quelles
allusions? à propos de quoi?

— C'est lorsqu'il m'a demandé
pourquoi nous ne nous adressions pas
au curé. Je lui ai répondu que le curé
n'habitait pas ici, qu'il avait trois
paroisses sur les bras. Alors croyez-
vous que ce maître d'école m'a répondu à brûle-pourpoint... Mais non,
vous allez vous fâcher, ma fille.

— Que vous a-t-il répondu? Je ne

vous lâcherai pas que vous ne me
l'ayez répété mot pour mot.

— Eh bien ! il a ricané que sur ce
seul point il ressemblait au curé : qu'il
n'aimait pas les histoires, qu'il ne
voulait pas avoir d'histoire avec le
château. J'ai compris ce que cela voulait dire ... S'il n'avait pas été un
blessé de Verdun, je vous prie de croire
que je l'aurais obligé à mettre les
points sur les i, que j'aurais su vous
défendre...

La rage de Paule tomba d'un coup.
Elle baissa la tête. Sans une seule
parole, elle redescendit en hâte, décrocha dans le vestibule une pèlerine.

La baronne attendit que la porte
fût refermée. C'était bien un sourire
qui découvrait son beau râtelier gris.
Penchée sur la rampe, elle grommela :
« Attrape ! » puis tout à coup, d'une

voix fêlée mais aiguë, elle appela :
« Galéas ! Guillou ! chéris ! » La réponse lui vint aussitôt des profondeurs de l'office et de la cuisine : « Mamie ! Maminette ! » Le père et le fils
grimpaient silencieusement l'escalier,
car ils avaient quitté leurs sabots dans
la cuisine et gardaient aux pieds des
chaussons de laine. Cet appel signifiait que l'ennemie pour un peu de
temps s'était éloignée. On pouvait se
réunir, se serrer autour de la lampe
dans la chambre de Mamie.

Galéas prit le bras de sa mère. Il
avait des épaules étroites et tom-
bantes sous un vieux chandail marron, une grosse tête disproportionnée,
très chevelue, des yeux enfantins
assez beaux, mais une bouche terrible aux lèvres mouillées, toujours
ouverte sur une langue épaisse. Le

fond de son pantalon pendait. L'étoffe faisait de gros plis sur des cuisses de squelette.

Guillaume avait pris l'autre main de Mamie et la frottait contre sa joue. Il ne retenait des propos entendus que ce qui lui importait : le maître d'école ne voulait pas se charger de lui, il n'aurait pas à trembler devant le maître d'école, l'ombre de ce monstre s'éloignait. Les autres propos de Mamie étaient incompréhensibles. « Je lui ai rivé son clou, à ta femme... » Quel clou? Ils entrèrent tous trois dans la chambre bien-aimée. Guillaume gagna son coin entre le prie-Dieu et le lit. Le dossier du prie-Dieu était une petite armoire pleine de chapelets cassés dont l'un, aux grains de nacre, avait été béni par le pape; un autre fait de noyaux

d'olivier, Mamie l'avait rapporté de
Jérusalem. Une boîte de métal représentait Saint - Pierre de Rome.
Sur celle-là, souvenir d'un baptême,
brillait en lettres d'argent le nom
de Galéas. Des paroissiens étaient
remplis d'images où souriaient des
visages de morts. Mamie et papa
chuchotaient sous la lampe. Un feu
de sarments éclairait vivement les
profondeurs de la chambre. Mamie
prit dans le tiroir du guéridon de
minuscules cartes graisseuses.

— Nous serons tranquilles jusqu'au dîner, Galéas, tu peux jouer du
piano...

Elle s'absorba dans une réussite.
Le piano avait été transporté dans
cette chambre déjà bourrée de meubles, parce que Paule ne pouvait souf-
frir d'entendre « tapoter » son mari.

Guillaume savait d'avance quels airs son père allait jouer et qu'il les reprendrait d'affilée dans le même ordre. D'abord, la *Marche turque*. Chaque soir, Guillou attendait au même endroit une fausse note. Parfois Galéas parlait sans s'interrompre de jouer. Sa voix blanche semblait muer encore :

— Dites, maman, c'est un rouge, cet instituteur?

— Rouge, tout ce qu'il y a de plus rouge ! Du moins, Lousteau l'affirme.

De nouveau la *Marche turque* reprit son cours trébuchant. Guillaume imaginait cet homme rouge, barbouillé de sang de bœuf. Il le connaissait pourtant de vue, ce boiteux, toujours nu-tête, appuyé sur une belle canne d'ébène. Le rouge devait être caché par les vêtements. Rouge comme

un poisson est rouge. Un peu de jour
filtrait encore à travers les rideaux
tirés. Maman errerait à travers
champs jusqu'au dîner comme chaque
fois qu'elle était très mécontente. Elle
rentrerait décoiffée, avec de la boue
au bas de sa robe. Elle sentirait la
transpiration. Elle monterait se coucher en sortant de table. On aurait
encore une bonne heure devant le
feu, dans la chambre de Mamie. Fraulein entra, grande, épaisse, molle :
elle trouvait toujours un prétexte
pour les rejoindre quand l'ennemie
courait les routes : voulaient-ils les
marrons bouillis ou grillés? Fallait-il
ajouter un œuf pour Guillou? Fraulein introduisait dans la chambre de
grand'mère une odeur d'oignon et de
souillarde. Elle ne consultait ses maîtres que pour la forme : Guillou aurait

son œuf... (on l'appelait ainsi depuis
la guerre, puisqu'il avait cette mal-
chance de porter le même prénom
que le kaiser — la baronne prononçait « késer »).

Et déjà ils parlaient « d'elle » :
« Alors elle m'a dit que ma cuisine
était sale. J'ai répondu que j'étais
maîtresse dans ma cuisine... » Guillaume observait les cous maigres de
Mamie et de papa tendus vers Fraulein. Pour lui, il demeurait indiffé-
rent à ces histoires, n'éprouvant pour
les autres ni haine ni amour. Sa grand'-
mère, son père, Fraulein lui dispen-
saient l'atmosphère de sécurité nécessaire, dont sa mère s'acharnait à le
débusquer, comme un furet attaque
le lapin au plus profond du terrier.
Il fallait en sortir coûte que coûte et
ahuri, hébété, subir les assauts de

cette femme furibonde; alors il se
mettait en boule, attendait que ce
fût fini. Mais grâce à cette guerre qui
couvait entre les grandes personnes,
il jouissait d'une certaine paix. Il se
cachait derrière Fraulein : l'Autrichienne étendait sur lui l'ombre de sa
masse tutélaire. Si la chambre de
Mamie lui assurait un refuge plus
inviolable que la cuisine, en revanche
son instinct l'avertissait de ne pas se
fier à Mamie, ni à la tendresse de ses
gestes, de ses paroles. L'unique Fraulein couvait d'un amour quasi char-
nel son poulet, son canard. C'était
elle qui le baignait, qui le savonnait
de ses vieilles mains sales et cre-
vassées.

Cependant Paule avait pris l'allée à
gauche du perron et atteignit sans

être vue, derrière les communs, une route étroite et presque toujours déserte. Elle s'y engagea de son pas d'homme, avec une étrange hâte, elle qui n'allait nulle part. Mais la marche l'aiderait à ruminer les paroles de l'instituteur que sa belle-mère lui avait rapportées, cette allusion à son histoire avec l'ancien curé.

L'horreur toujours présente de s'être précipitée elle-même dans ce destin qui était le sien, eût été supportable, croyait-elle, sans cette honte subie dès la première année de son mariage : rien ne pouvait faire qu'elle ne fût marquée aux yeux de tous, chargée d'une faute qu'elle n'avait pas commise, d'une faute plus ridicule encore qu'ignoble. Mais les vrais responsables de cette calomnie, ce n'était cette fois ni son mari ni la baronne. Ces ennemis inconnus échappaient à sa vengeance ; à peine les avait-elle aperçus de loin, au cours d'une cérémonie, ces vicaires généraux, ces chanoines qui considéraient la belle-fille de la baronne de Cernès comme une créature dangereuse pour les prêtres. Cette infamie était connue, colportée dans tout le diocèse. Trois desservants s'étaient déjà succédé à Cernès ; mais à chacun il avait été rappelé par l'autorité diocésaine que la permission de dire la messe dans la chapelle privée du château avait été retirée et que, tout en sauvegardant les apparences, il fallait éviter de devenir le familier de cette famille, si illustre qu'elle fût, « en raison d'un scandale présent encore à tous les esprits. »

Depuis des années, à cause de

Paule, la chapelle de Cernès était désaffectée, ce dont se fût bien moqué la jeune femme (l'éloignement de l'église paroissiale lui avait été au contraire un bienheureux prétexte pour n'y mettre jamais les pieds). Mais il n'était personne à dix lieues à la ronde qui ne connût la raison de cet interdit : la belle-fille de la vieille baronne « celle qui a eu une histoire avec le curé... ». Les plus indulgents ajoutaient qu'on ne savait pas jusqu'où c'était allé. On ne croyait pas qu'ils eussent fait le mal. N'empêche qu'il avait fallu déplacer le prêtre...

Les troncs sont redevenus obscurs, mais le bas du ciel reste rouge. Il y a longtemps que Paule n'est plus attentive à ces choses : les arbres, les nuages, l'horizon. Elle en interprète l'aspect parfois, comme les paysans,

pour augurer du temps et de la tem-
pérature. Mais cette part d'elle-même
est morte qui naguère participait au
monde visible, à l'époque où, à cette
même heure et sur cette même route,
elle marchait à côté de ce grand innocent, de ce jeune prêtre famélique : il
poussait sa bicyclette et lui parlait
à mi-voix. Les paysans qui les regar-
daient passer ne doutaient point que
l'amour ne fût l'objet de leurs propos.
Or il n'y avait jamais eu entre eux
que la rencontre de deux solitudes
qui ne se mêlèrent jamais.

Paule entend rire au delà du tournant de la route un groupe de garçons
et de filles : ils vont apparaître ;
elle s'enfonce dans le taillis pour
ne pas les voir, pour n'être pas vue.
Cette fuite imprudente avait autrefois
éveillé les premiers soupçons quand

elle entraînait son compagnon dans un chemin de traverse. Ce soir, malgré l'humidité qui monte de la terre, elle se couche dans les feuilles flétries d'une châtaigneraie, ramène ses genoux à la hauteur du menton, les bras noués autour des jambes. Où est-il maintenant, ce pauvre petit prêtre? Elle ne sait pas où il souffre, mais il souffre s'il vit encore. Non il n'y avait rien eu entre eux : ce n'était pas de cela qu'il s'agissait. Une intrigue eût paru inimaginable à Paule élevée dans l'horreur des soutanes. Pourtant ces imbéciles l'avaient classée, d'autorité, dans la catégorie des maniaques qui harcèlent les hommes consacrés. Plus rien à faire pour arracher d'elle cette étiquette. Et lui, avait-il eu des torts? Il avait répondu aux confidences d'une jeune femme

désespérée non par les conseils d'un
directeur, mais par d'autres confidences : c'était là tout son crime. Elle
avait cherché du secours auprès de
lui comme elle était en droit de le
faire ; mais il l'avait accueillie en nau-
fragé qui, sur son île déserte, voit
débarquer un compagnon de misère.

Du désespoir de ce lévite, à peine
sorti d'une adolescence attardée, elle
n'avait jamais très bien compris les
raisons secrètes. Autant que Paule en
avait pu juger (ces sortes de questions ne l'intéressaient guère), il se
croyait abandonné, inutile. Une espèce de haine lui était venue contre
cette humanité paysanne, imperméable, à qui il ne savait pas parler,
occupée uniquement de la terre et qui
n'avait pas besoin de lui. L'isolement
le rendait comme fou. Oui, il était à

la lettre fou de solitude. Aucun secours ne lui venait du côté de Dieu.
Il avait raconté à Paule que sa voca-
tion s'était décidée sur des états de
sensibilité, des « touches de la Grâce »
comme il disait, qu'il n'avait plus
jamais ressenties, une fois tombé dans
la nasse... Comme si quelqu'un après
l'avoir appâté et pris au piège, n'avait
plus eu souci de lui. C'était du moins
ce que Paule croyait avoir compris.
Mais tout cela appartenait pour elle
à un monde absurde, « impensable. »
Elle l'écoutait se plaindre d'une oreille
distraite et attendait qu'il reprît
souffle, pour parler à son tour : « Et
moi... » et ressasser l'histoire de son
mariage. Il n'y avait rien eu entre
eux que ces monologues alternés.
Une seule fois, dans le jardin du pres-
bytère et parce qu'il était à bout de

force, il avait, l'espace de quelques
secondes, appuyé sa tête sur l'épaule
de la jeune femme qui se déroba
presque aussitôt. Mais un voisin les
avait vus. Tout est venu de là. A
cause de ce geste (mais toute la vie
de cet homme en devait être changée)
devant l'autel du château, la petite
lampe ne brillerait jamais plus. La
vieille baronne protesta à peine contre
cette interdiction, comme si elle avait
jugé naturel que la présence de Dieu
à Cernès fût incompatible avec celle
de cette bru, née Meulière.

Le froid gagne Paule. L'ombre
s'épaissit sous les châtaigniers. Elle se
lève, secoue sa robe, rejoint la route.
Une des tours du château, celle du
xɪvᵉ siècle, apparaît entre les sapins.
Il fait assez sombre déjà pour que
ce muletier ne la reconnaisse pas.

Elle qui supporte depuis douze ans
la honte de cette calomnie et qui sait
qu'elle a cours partout, soudain, il
lui paraît intolérable que cela soit
parvenu aux oreilles d'un instituteur
à qui elle n'a jamais adressé la parole. Dans le pays, aucun visage mâle
ne lui était étranger ; il n'y en avait
guère qu'elle ne reconnût de loin.
Mais sans doute l'image de ce garçon
frisé l'avait-elle pénétrée à son insu,
et comme envahie — l'image de ce
maître d'école dont pourtant le nom
même lui demeurait inconnu. Car
l'instituteur ni le curé n'ont besoin
d'avoir un nom qui les désigne : leur
fonction suffit à les définir. Elle ne
souffrirait pas qu'il crût un jour de
plus que ce qu'on racontait d'elle était
vrai. Elle lui expliquerait ce qui
s'était réellement passé. Ce même

besoin de se livrer, de se décharger
d'un poids intolérable qui, douze
années plus tôt, avait suscité des confidences imprudentes à un prêtre trop
jeune et trop faible, voici qu'elle en
connaissait de nouveau le tourment.
Il lui faudrait vaincre sa timidité,
revenir à la charge au sujet de Guillaume. L'instituteur céderait peut-
être. En tout cas ils entreraient en
rapport, ils pourraient se lier.

Elle accrocha sa pèlerine dans le
vestibule. D'habitude, elle se lavait
les mains à la fontaine de l'office puis
gagnait la salle à manger, celle des
domestiques où la famille, depuis la
mort de Georges, le fils cadet, prenait ses repas. La salle à manger offi-
cielle, immense et glacée, n'était rou-
verte que pour les vacances de Noël

et durant le mois de septembre,
lorsque la fille aînée de la baronne,
la comtesse d'Arbis, arrivait de Paris
avec ses enfants et la fille de Georges
la petite Danièle. Alors les deux garçons du jardinier revêtaient une li-
vrée. Une cuisinière était engagée. On
louait deux chevaux de selle.

Ce soir-là, Paule ne gagna pas direc-
tement la petite salle à manger et,
poussée par le désir de rouvrir au
plus tôt le débat au sujet de l'instituteur, se dirigea vers la chambre de
sa belle-mère. Elle n'y pénétrait pas
dix fois dans l'année. Au moment
d'entrer, elle hésita, attentive à ce
brouhaha joyeux des trois complices
derrière la porte, à un air joué avec
un doigt par Galéas. Une réflexion
de Fraulein faisait rire aux éclats la
vieille baronne, de ce rire complai-

sant et forcé que Paule exécrait. Elle poussa la porte sans frapper. Comme les automates d'une horloge, ils devinrent tous à la fois immobiles. La baronne demeura un instant la main levée, tenant une carte. Galéas pivota sur le tabouret après avoir fait claquer le couvercle du piano. Fraulein tourna vers l'ennemie sa figure écrasée de chatte qui, en présence d'un chien, aplatit ses oreilles, devient bossu et se prépare à cracher. Guillou, entouré de journaux dans lesquels il découpait des photographies d'avions, posa les ciseaux sur la table et se coula de nouveau entre le prie-Dieu et le lit. Là, il rentra les pattes et se fit cadavre.

Autant que Paule y fût accoutumée, elle n'avait jamais eu une conscience si claire de son pouvoir maléfique sur

les êtres avec lesquels il lui fallait
vivre. Mais sa belle-mère presque aussitôt se reprit et sourit d'un sourire
qui tordait sa bouche, lui manifestant
la même amabilité excessive qu'à une
étrangère de rang inférieur. Elle s'api-
toyait sur les pieds mouillés de la
jeune femme, l'invitait à s'approcher
du feu. Fraulein grommela que ce
n'était pas la peine, qu'elle allait ser-
vir la soupe. Comme elle gagnait la
porte, Galéas et Guillaume se préci-
pitèrent à sa suite. « Naturellement,
songeait la baronne, ils me la laissent
sur les bras... »

— Vous permettez, ma fille, que
je mette le pare-étincelles?

Elle s'effaça devant Paule, ne vou-
lut pour rien au monde passer la
première et parlant sans cesse, fit en
sorte que jusqu'au moment de se

sur lui ; il avait cette chance : elle
l'avait supprimé. Aussi était-il le seul
qui, à table, pût s'épanouir à l'aise,
céder à toutes ses manies, « faire cha-
brot » (verser du vin dans sa soupe),
s'appliquer à des mélanges, des « tam-
bouilles » comme il disait. Il écrasait
et triturait tous ses aliments, les éta-
lait dans son assiette, et la baronne
avait eu fort à faire pour empêcher
Guillaume d'imiter son père, sans
porter atteinte au respect qu'il lui
devait : papa faisait ce qu'il voulait,
il pouvait tout se permettre... Mais
Guillou devait se tenir à table comme
un garçon bien élevé.

Le petit était à mille lieues de juger
son père, n'imaginant pas qu'il pût
être différent. Papa appartenait à une
espèce de grandes personnes qui ne
présentent aucun danger. Voilà ce

qu'eût été le jugement de Guillaume
s'il avait été capable d'en émettre
un. Papa ne faisait pas de bruit,
n'interrompait pas l'histoire que Guillaume se racontait à lui-même, il s'y
incorporait, ne la troublait pas plus
que ne faisaient le bœuf ou le chien.
Sa mère, elle, y pénétrait par effrac-
tion, s'y maintenait comme un corps
étranger dont on ne sent pas toujours
la présence, mais tout à coup on sait
qu'il est là. Elle a prononcé son nom...
C'est fait ! il est question de lui. Elle
parle de l'instituteur. Guillaume es-
saie de comprendre. Le voilà tiré par
les oreilles hors de son terrier, exposé
au jour aveuglant des grandes personnes.

— Alors, ma mère, dites-moi ce
que vous voulez faire de Guillaume.
Avez-vous une idée? C'est entendu :

il sait lire, écrire, à peine compter. A près de douze ans, ce n'est guère...

Selon la baronne, il n'y avait rien de perdu, il fallait se donner le temps de la réflexion.

— Mais il a été renvoyé de deux collèges. Vous assurez que l'instituteur ne veut pas de lui. Il reste donc de prendre un précepteur à domicile, ou une institutrice.

La vieille dame protesta vivement : non, pas d'étranger... Elle tremblait à l'idée d'un témoin de leur vie à Cernès, de ce que la vie de Cernès était devenue depuis que Galéas avait donné son nom à cette furie.

— Mais vous, ma chère fille, peut-être avez-vous un projet?

Paule vida d'un trait son verre et l'emplit de nouveau. Dès la première année du mariage, la baronne et Frau-

lein avaient observé que l'ennemie
était portée sur la bouteille. Depuis
que Fraulein marquait d'un trait de
crayon le niveau des bouteilles de
liqueur, Paule cachait dans son armoire des flacons d'anisette, de cherry
de curaçao, d'apry. Mais l'Autrichienne les avait découverts. Le jour
où la baronne crut de son devoir
de mettre en garde sa chère fille
contre l'abus des liqueurs fortes, il
y eut un tel éclat à Cernès que la
vieille dame n'aborda plus jamais
ce sujet.

— Je ne vois rien d'autre à tenter,
ma mère, que de revenir à la charge
auprès du maître d'école...

Et comme la baronne, les mains
levées, protestait qu'elle ne s'expo-
serait plus, pour rien au monde, à
l'insolence de ce communiste, Paule

l'assura qu'il n'en pouvait être question et qu'elle-même tenterait cette
nouvelle démarche, s'efforcerait de
réussir là où sa belle-mère avait
échoué. Elle coupa court à toutes les
objections, répétant qu'elle y était
résolue, que la décision lui appartenait pour tout ce qui touchait à l'édu-
cation de Guillaume.

— Il me semble pourtant que mon
fils a son mot à dire !

— Vous savez bien qu'il ne le dira
pas.

— En tout cas, ma fille, je suis en
droit d'exiger que vous ne parliez à
cet individu qu'en votre nom propre.
Je vous laisse libre de lui dire que
j'ignore votre démarche. Mais si
vous répugnez à ce mensonge bénin,
j'entends qu'il soit averti que vous
êtes venue chez lui malgré moi,

contre mon désir clairement exprimé.

Paule, sur un ton de persiflage, invita la vieille dame à subir en chrétienne cette humiliation dans l'intérêt de son petit-fils.

— Oh ! ma fille, quoi que vous ayez fait ou que vous fassiez encore, ne croyez surtout pas que je me sente engagée le moins du monde. Soit dit sans vous offenser, on ne saurait être moins que vous ne l'êtes, incorporée à la famille.

Elle gardait le ton de la bonne compagnie et un sourire retroussant sa longue lèvre supérieure, découvrait de belles dents trop intactes. Paule irritée, déjà se contenait mal :

— Il est vrai que je n'ai jamais tenu à ressembler aux Cernès...

— Eh bien ! alors, ma chère fille, réjouissez-vous : personne n'a jamais pu vous faire injure au point de vous prendre pour ce que vous n'êtes pas.

Guillaume aurait voulu se glisser hors de la pièce, mais il n'osait. D'ailleurs cette bataille de dieux qui grondait au-dessus de sa tête l'intéressait, bien que la portée des injures échangées lui échappât. Galéas se leva sans goûter au dessert comme chaque fois qu'il y avait de la crème, laissant les adversaires en présence.

— Je serai malheureusement considérée comme faisant partie de la famille, le jour où on viendra brûler le château...

— Croyez - vous m'effrayer ? Les Cernès ont toujours été respectés et aimés, grâce à Dieu ! depuis plus de quatre cents ans qu'ils font du bien ici et qu'ils donnent l'exemple...

L'indignation rendait la vieille voix chevrotante.

— Aimés? respectés? Mais on vous hait au village, ma mère. Votre obstination à garder Fraulein pendant la guerre...

— Vous me faites rire ! une Autrichienne de soixante-quatre ans qui vivait chez nous depuis sa jeunesse... L'autorité militaire a sagement fermé les yeux...

— Mais les gens ont été trop heureux d'avoir ce prétexte... C'est incroyable de s'aveugler ainsi ! On vous a toujours exécrés... Croyez-vous que les métayers et que les fournisseurs apprécient vos manières mielleuses? Et à cause de vous, on déteste tout ce que vous aimez : les curés et le reste. Vous verrez, vous verrez... Malheureusement, j'y passerai aussi, mais tout de même, il me semble que je mourrai contente.

Et elle finit entre haut et bas sur une expression triviale que jamais la baronne n'avait entendue. « Comme le langage est révélateur ! » songeait la vieille dame soudain calmée. Il arrivait parfois à sa fille de Paris et surtout à ses petits-enfants de risquer devant elle un mot d'argot, mais jamais ils ne se fussent servis d'une expression aussi vulgaire. Qu'avait-elle dit exactement? « Ça vous en bouche un coin... » Oui c'est cela qu'elle avait dit. Comme toujours, la rage de Paule rendait le calme à la vieille dame, elle reprenait d'un coup l'avantage du sang-froid devant cette possédée :

— Mais non, mais non, votre haine de la noblesse ne me surprend pas le

moins du monde. Quoi que vous pen-
siez, les paysans nous aiment, ils se
sentent de plain-pied avec nous ; c'est
la petite et la moyenne bourgeoisie
qui nous haïssent, d'une haine à base
d'envie. Ce sont les bourgeois qui
pendant la Terreur ont fourni le plus
de bourreaux.

Et comme sa bru déclarait avec
suffisance que la trahison des émi-
grés « avait rendu la Terreur juste et
nécessaire », la baronne redressa une
taille majestueuse :

— Mon arrière-grand-père et deux
de mes grands-oncles ont péri sur
l'échafaud et je vous interdis...

Paule pensa tout à coup à l'instituteur : c'était pour lui qu'elle avait
prononcé des paroles qui lui auraient
plu, qu'il aurait approuvées — des
paroles bien sûr qui venaient à Paule

de son oncle Meulière, radical et franc-
maçon d'étroite observance. Mais quel
accent prenaient soudain de tels propos, dès qu'elle les dédiait à cet instituteur qu'elle irait voir le lendemain. C'était un jeudi, il serait libre
toute la journée. Elle avait parlé sous
son influence (l'oncle Meulière n'y
était pour rien) sous l'influence d'un
homme à qui elle n'avait jamais
adressé la parole, qu'elle croisait sur
la route et qui ne la saluait même pas
quand elle traversait le village et
qu'il travaillait son petit jardin (bien
qu'il s'interrompît de bêcher pour la
regarder passer).

— Savez-vous ce que vous êtes,
ma fille? Une pétroleuse, tout simplement oui, une pétroleuse...

Guillaume releva la tête. Il savait
ce qu'était une pétroleuse : il avait vu

cent fois cette image du *Monde illustré*
de 1871 où deux femmes accroupies,
la nuit, près d'un soupirail, allument
une espèce de feu. Des mèches dé-
passent leur bonnet de femme du
peuple. La bouche ouverte, Guillaume
observait sa mère : une pétroleuse ?
Oui, bien sûr… Elle le prit par le
bras :

— Toi, monte. Et un peu vite.

La baronne lui dessina une croix
sur le front avec son pouce, mais sans
l'embrasser ; et quand il ne fut plus
là :

— Nous devrions lui épargner ce
spectacle.

— Rassurez - vous, ma mère. Il
n'écoute pas, et s'il écoute, il ne comprend pas.

— C'est ce qui vous trompe. Pauvre
chou ! Il comprend plus de choses que

nous ne pensons... Mais cela nous
ramène au vrai sujet du débat dont
nous avons eu l'une et l'autre le tort
de nous éloigner. Si, comme je n'en
doute guère et comme je le souhaite,
le maître d'école vous oppose un nouveau refus...

— Eh bien ! il n'y aura qu'à laisser
Guillaume pousser comme un petit
paysan. C'est une honte de voir tant
de fils de famille bénéficier d'une
instruction dont ils sont indignes,
alors que les garçons du peuple...

Cette fois encore, le lieu commun
souvent développé par l'oncle Meulière la grisait tout à coup : ce devait
être une idée de l'instituteur à qui
elle prêtait toutes les opinions dites
avancées. Elle ne doutait point qu'il
ne fût conforme au modèle officiel.

La vieille dame résolue à éviter un

nouvel éclat se leva sans rien répondre. Paule la suivit dans l'escalier.

— Ne pourrions-nous, proposa la
baronne, nous unir pour lui apprendre
le peu que nous savons?

— Si vous en avez la patience, ma
mère. Pour moi, je suis au bout de
mon rouleau.

— La nuit porte conseil, dormez
bien, ma fille. Et veuillez oublier ce
que j'ai pu vous dire de blessant,
comme je vous pardonne moi-même...

La bru haussa les épaules :

— Ce sont des mots. Ils ne chan-
gent rien aux sentiments véritables.
Nous ne pouvons plus avoir d'illu-
sions...

Elles demeuraient face à face dans
le corridor des chambres, le bougeoir
à la main. De ces deux figures vive-

ment éclairées, la plus jeune paraissait de beaucoup la plus redoutable.

— Croyez, Paule, que je ne suis
pas aussi injuste à votre égard que
vous seriez en droit de l'imaginer. Si
vous aviez besoin d'excuse, il me suf-
firait de penser à votre vie ici, à cette
épreuve bien lourde pour une jeune
femme...

— J'avais vingt-six ans, interrompit Paule sèchement. Je n'accuse personne, j'ai le sort que j'ai librement
choisi. D'ailleurs vous - même , ma
pauvre mère...

Cela signifiait : mon triste mari est
d'abord votre triste fils. Paule se con-
solait de son enfer en le partageant
avec sa vieille ennemie. Mais la baronne se refusait à l'y suivre :

— Oh ! moi, mon sort est bien différent, répondit-elle d'une voix que

l'émotion rendait chevrotante. J'ai eu
mon Adhémar. Pendant vingt-cinq
ans, j'ai été la plus heureuse des
femmes...

— Peut-être, mais pas la plus heureuse des mères.

— Voilà bientôt cinq ans que mon
Georges est mort en héros : je ne le
pleure pas. Sa petite Danièle me reste.
Galéas me reste...

— Oui, justement? Galéas !

— J'ai mes enfants de Paris, insista-t-elle avec une expression têtue.

— Oui, mais les Arbis vous gru-
gent. Vous n'avez jamais été pour eux
qu'une vache à lait. Vous avez beau
secouer la tête, vous le savez bien,
Fraulein vous le reproche assez, quand
vous croyez toutes deux que je ne
puis entendre... Laissez-moi parler...
J'élèverai la voix si ça me plaît...

Ces paroles répercutées dans le corridor réveillèrent Guillaume en sursaut. L'enfant se dressa sur sa couche. Oui, les dieux se battaient toujours au-dessus de sa tête. De nouveau il s'enfonça sous ses draps, une oreille bouchée par l'oreiller et sur l'autre il appuya un doigt, et en attendant que revînt le sommeil, il reprit l'histoire qu'il se racontait à lui-même de son île et de cette grotte comme dans *Un Robinson de douze ans*. La veilleuse peuplait l'espèce de lingerie où il couchait d'ombres familières et de monstres apprivoisés.

— Nous vivons dans ce château en besogneux, pour que votre fille Arbis soutienne son train et mène sa politique de mariages, comme elle dit. Tous ici nous pouvons crever pourvu que sa Yolande épouse un duc en-

juivé et son Stanislas quelque Amé-
ricaine de quatre sous...

Paule harcelait la vieille femme qui,
résolue au silence, battit en retraite
et verrouilla sa porte. Mais à travers
cette porte fermée, la voix implacable
lui criait encore :

— Le mariage de Stanislas, vous
pouvez en faire votre deuil. Car celui-
là, il n'épousera jamais personne...
Cette petite...

Elle finit sur un mot dont la baronne n'eût pas compris le sens, même
si elle avait pu l'entendre, même si
elle n'avait pas été prosternée sur son
prie-Dieu, la tête enfouie dans ses
deux bras.

A peine Paule eut-elle pénétré dans
sa chambre, que sa colère tomba d'un
coup. Quelques tisons rougeoyaient
encore dans la cheminée. Elle y jeta

un fagot, alluma une lampe à pétrole
sur la table, près de la chaise longue,
se déshabilla devant le feu, passa une
vieille robe de chambre molletonnée.

Comme on dit « faire l'amour », il
faudrait pouvoir dire « faire la haine ».
C'est bon de faire la haine, ça repose,
ça détend. Elle ouvrit l'armoire et sa
main hésita. Elle choisit le curaçao,
jeta les coussins du divan sur le tapis,
le plus près possible du feu, s'étendit
avec le verre et la bouteille à portée
de sa main. Elle commença de fumer
et de boire et se mit à penser à
l'homme, à l'instituteur, à l'ennemi
des nobles et des riches, un rouge,
peut-être un communiste. Méprisé
comme elle, par la même espèce de
gens... Elle s'humilierait devant lui...
Elle finirait bien par entrer dans sa
vie... Il était marié. Comment était

l'institutrice? Paule ne la connaissait
même pas de vue. Elle l'écarta pour
l'instant de l'histoire qu'elle imaginait. Elle s'y enfonça, dépensant plus
de génie d'invention que ceux dont
c'est le métier de raconter des histoires. Les visions qui surgissaient
devant son œil intérieur dépassaient
infiniment ce qu'il est donné au langage humain d'exprimer. Elle ne se
redressait que pour remplir son verre,
jeter un fagot dans le feu, puis s'étendait de nouveau et parfois la flamme
réveillée éclairait brusquement ce visage renversé de criminelle ou de mar-
tyre.

II

Le lendemain, au commencement
de l'après-midi, vêtue d'un imperméable, chaussée de gros souliers, un
béret enfoncé sur les yeux, elle se ren-
dit au village. La pluie sur sa figure
effaçait, croyait-elle, les traces de son
orgie solitaire. Aucune exaltation ne
la soutenait plus, mais sa volonté
seule. Une autre femme eût longuement choisi la toilette qui convenait
à une démarche de cet ordre. Elle se
fût en tout cas appliquée à tirer le
meilleur parti de son apparence physique. La pensée ne vint même pas à
Mme Galéas de poudrer sa figure, ni

de rien tenter pour rendre moins
apparent le duvet brun qui recou-
vrait ses lèvres et ses joues. Ses cheveux lavés eussent paru moins gras.
Elle aurait pu supposer que l'instituteur inconnu était, comme la plu-
part des hommes, sensible aux par-
fums... Mais non : sans plus d'apprêt
que de coutume, aussi négligée que
jamais, elle allait tenter sa chance
dernière.

L'homme, cet instituteur, était assis
en face de sa femme, dans la cuisine,
et il causait en écossant des haricots.
C'était un jeudi, jour béni entre tous.
L'école s'élevait au bord de la route,
comme d'ailleurs toutes les maisons
du village disgracié de Cernès. La
forge, la boucherie, le bistrot, la poste
ne formaient pas un groupe vivant

autour du clocher. Seule, l'église se
détachait pressant les tombes contre
elle sur un promontoire qui domine
la vallée du Ciron. Cernès n'avait
qu'une rue et qui était justement la
route départementale. L'école s'élevait un peu en retrait. Les enfants
y pénétraient par la porte centrale,
mais la cuisine de l'instituteur ou-
vrait à droite sur le passage étroit
qui menait à la cour de récréation.
Au delà s'étendait le jardin potager.
Robert et Léone Bordas, sans rien
pressentir de ce qui approchait de
leur maison, discutaient encore au
sujet de l'étrange visite reçue la
veille.

— Tu as beau dire, insistait la
femme, 150, peut-être 200 francs de
plus chaque mois pour faire travailler
le gosse du château, ce n'est pas rien.

Ça valait la peine d'y regarder à deux
fois...

— Nous n'en sommes pas à ça
près. Est-ce que nous manquons de
quelque chose? Maintenant que je
reçois presque tous les livres dont j'ai
besoin (il rédigeait la chronique des
romans et des poèmes dans le *Journal
des instituteurs*).

— Tu ne penses qu'à toi, mais il y
a Jean-Pierre...

— Jean-Pierre non plus n'a besoin
de rien. Tu ne veux tout de même pas
qu'il prenne des répétitions?

Elle sourit avec complaisance : non,
bien sûr, leur fils n'avait pas besoin
de répétitions ; en quelque matière
que ce fût, il était toujours premier.
A treize ans, il venait d'entrer en
seconde. En avance de deux années,
il devrait sans doute redoubler sa

première car il n'y avait guère de
chances qu'il pût obtenir la dispense
d'âge. On le couvait déjà au lycée
comme une future gloire. Ses professeurs ne doutaient pas de le voir
réussir du premier coup aux deux
concours de Normale Lettres et de
Normale Sciences.

— Eh bien si, justement ! Je veux
qu'il prenne des leçons particulières.

Léone n'accompagna cette déclara-
tion d'aucun regard, d'aucun signe
qui marquât le doute ou la prière.
Cette femme mince, aux joues pâles,
un peu « rousseaute », dont les traits
menus demeuraient charmants bien
qu'elle fût fanée, avait une voix sèche,
pénétrante, accoutumée à crier pour
dominer la classe.

— Il faut qu'il prenne des leçons
d'équitation.

Robert Bordas continua de trier ses haricots et feignant de croire qu'elle plaisantait :

— Mais oui, bien sûr ! et des leçons de danse, tant que tu y es !

Le rire rapetissait encore ses yeux longs mais peu ouverts. Bien qu'il ne fût pas rasé, que son col fût déboutonné, cet homme qui approchait de la quarantaine avait encore la grâce de la jeunesse. On imaginait aisément l'enfant qu'il avait dû être. Il se leva, fit le tour de la table en s'aidant d'une canne à bout de coutchouc, mais il boitait très peu. Sa longue échine de chat maigre était d'un adolescent. Il alluma une cigarette et dit :

— En voilà encore une qui veut la révolution, mais qui rêve pour son fils d'une écurie de course !

Elle haussa les épaules.

— Alors, pourquoi veux-tu faire un cavalier de Jean-Pierre? insista-t-il. Pour qu'il s'engage aux dragons de Libourne avec un tas de salauds qui mettront en quarantaine ce fils d'instituteur?

— Ne t'exalte pas, ménage ta voix pour la réunion publique du 11 novembre...

Elle vit à son air qu'elle était allée trop loin, vida dans un plat les haricots qui emplissaient son tablier et alla embrasser son mari. « Écoute, Robert... » Elle voulait les mêmes choses que lui, il le savait bien. Elle le suivait aveuglément, avec une confiance totale. La politique, ce n'était pas sa partie à elle, qui se représentait assez mal comment irait le monde, une fois la révolution accomplie. Mais ce serait toujours une élite qui mène-

rait le pays, voilà ce dont elle était
assurée : les plus intelligents, les plus
instruits, mais aussi ceux qui détien-
draient des vertus de chef.

— Eh bien ! oui, je veux que
Jean-Pierre sache monter à cheval
et surtout qu'il acquière les qualités
d'adresse, de courage, d'audace qui
lui manquent un peu. Il a toutes les
autres sauf celles-là...

Robert Bordas observait le regard
perdu de sa femme : elle ne le voyait
pas ; son cœur à cette minute était
loin de lui.

— L'École normale forme une élite
de professeurs pour l'Université, ob-
serva-t-il un peu sèchement. C'est sa
seule raison d'être.

— Allons donc ! mais regarde un
peu tous les ministres, tous les grands
écrivains, tous les chefs de parti qui

en sont sortis. Et Jaurès, le premier,
et Léon Blum !...

Il l'interrompit :

— Moi, je serais très fier si Jean-
Pierre soutenait une belle thèse, pro-
fessait un jour à la Faculté des
Lettres. Je ne demande rien de plus
pour lui... Ou même peut-être à la
Sorbonne... ou, qui sait? au Collège
de France... Voilà qui serait beau !

Elle rit aigrement :

— Ah là là ! c'est mon tour d'ad-
mirer quel fameux révolutionnaire tu
fais ! Alors tu t'imagines que toutes
ces vieilleries resteront debout?

— Bien sûr ! l'Université sera trans-
formée, renouvelée, mais en France
l'enseignement supérieur sera toujours l'enseignement supérieur... Tu
ne sais pas de quoi tu parles...

Il s'interrompit : une femme appa-

rut dans le brouillard, à travers la
porte vitrée.

— Qu'est-ce encore que celle-là?

— Une mère qui vient nous en-
nuyer et se plaindre qu'on a été injuste pour sa petite.

Avant d'entrer, Paule racla longuement ses souliers pour en enlever la
boue. Ils ne la reconnurent pas. Ils ne
savaient pas qui était cette étrange
femme coiffée d'un béret enfoncé jusqu'aux yeux noirs et cernés, brûlant
dans une face aussi duveteuse qu'un
visage de jeune garçon. Elle évita
de se nommer. Elle dit à Robert
qu'elle était la mère de l'enfant dont
la baronne de Cernès était venue
l'entretenir la veille. Il mit quelques secondes à comprendre de qui
il s'agissait, mais déjà Léone avait
deviné.

Elle précéda Mme Galéas dans une pièce glacée dont elle poussa les volets. Tout reluisait : le parquet, le buffet et la table de style Lévitan. Un store de dentelle écrue voilait la fenêtre. D'énormes fleurs d'hortensias dessinaient une large frise au ras du plafond. Le papier de tenture était lie de vin.

— Je vous laisse avec mon mari...

Paule protesta qu'elle n'avait rien de secret à lui communiquer : un malentendu à dissiper, rien de plus. Cette vague de sang qui aviva les joues de Robert Bordas, était une infirmité qu'il gardait de sa jeunesse. Ses oreilles devinrent brûlantes. La dame à l'œil mauvais allait-elle le forcer de s'expliquer sur sa plaisanterie de la veille? Mais oui ! elle avait le toupet d'en parler et sans aucun

embarras. Elle craignait, disait-elle,
que sa belle-mère ait mal compris
une réflexion tout innocent et fût là-
dessus partie en guerre. Elle ne cherchait point du tout à faire revenir
M. Bordas sur son refus ; mais elle
serait désolée que cet incident valût
dans le village un nouvel adversaire
à la femme sans défense qu'elle était
— le seul dont justement elle eût été
en droit d'attendre plus de com-
préhension.

Ses yeux brûlants allaient de Robert à Léone. Les coins de la bouche
un peu tombants rendaient tragique
cette grande figure velue, ce masque.
Robert balbutiait qu'il était désolé,
qu'il n'avait mis aucune intention
malveillante dans ses propos. Paule
coupa court et se tournant vers Léone :

— Je n'en ai jamais douté. Vous

êtes payés tous deux pour bien connaître le pays et les ragots qu'on y colporte.

Comprenaient - ils l'allusion ? Savaient-ils le bruit qui courait : que l'instituteur avait été blessé à l'arrière, dans un poste d'embusqué? Certains insinuaient qu'il avait déchargé lui-même son fusil si maladroitement... Ils ne parurent pas émus. Paule ignorait si elle les avait atteints. Elle ajouta :

— Je sais, madame, que vous appartenez à une vieille famille de Cadillac...

Les parents de Léone étaient en effet de petits propriétaires paysans de vieille souche, mais fort mal vus à cause de leurs opinions avancées : leur fille n'était pas mariée à l'église ; on doutait que le petit Jean-Pierre fût baptisé. Pour demeurer auprès de leur famille, les Bordas avaient renoncé à un avancement qui eût été rapide.

— Cernès, disait Paule, a un instituteur qu'il ne mérite pas.

De nouveau le visage juvénile devint écarlate. Elle insista : Mais oui ! elle savait qu'il ne tiendrait qu'à Robert Bordas d'aller siéger au Palais-Bourbon. Il rougit encore, haussa les épaules :

— Vous vous moquez de moi !

Léone riait :

— Oh ! madame, vous allez le rendre orgueilleux, mon pauvre Robert !

Un sourire rapetissait les longs yeux du jeune homme.

— Ce n'est pas moi qui le dis, c'est M. Lousteau, notre régisseur, et votre

ami, je crois? Un royaliste, mais qui
sait rendre justice à son adversaire.
Quand on a un mari comme le vôtre,
il ne faut pas avoir peur d'être ambi-
tieuse.

Elle ajouta à mi-voix : « Ah ! si
j'étais à votre place... » Cela fut dit
dans le ton qu'il fallait. L'allusion à
son misérable mari était à peine marquée.

— Le premier grand homme de la
famille, dit en riant l'instituteur, ce
sera notre fils Jean-Pierre, n'est-ce
pas, Léone?

Ce petit Jean-Pierre? Un sourire de
complaisance détendit les traits de la
dame. Mais oui, sa renommée était
venue jusqu'à elle, M. Lousteau lui
en parlait souvent. Comme ils de-
vaient être heureux et fiers ! Encore
un soupir, encore un retour sur son

propre malheur. Mais cette fois, elle ne craignit pas d'appuyer :

— A propos d'enfant prodige, il faut tout de même que je vous parle de mon pauvre fils. Peut-être ma belle-mère a-t-elle forcé la note. C'est un arriéré, bien sûr ! Je comprends que cela vous ait fait peur !

Robert protesta vivement que son refus n'avait eu d'autre raison que le manque de loisirs et la crainte de ne pouvoir se consacrer à cette nouvelle tâche : le secrétariat de la mairie, ses travaux personnels prenaient tout le temps qui n'était pas donné aux garçons du village.

— Oui, je sais que vous êtes un grand travailleur. Je me suis même laissé dire que certains articles non signés de *la France du Sud-Ouest...*

ajouta-t-elle d'un air alléché et com-
plice.

Les joues et les oreilles de l'instituteur de nouveau rougirent. Pour
couper court, il posa quelques questions au sujet de Guillaume. Le petit
écrivait et lisait couramment? Il lui
arrivait même de lire pour son plaisir? Mais alors, rien n'était perdu.

Paule demeurait indécise : il importait de ne pas le décourager
d'avance, et que tout de même il fût
préparé à l'imbécillité de son futur
élève. Oui, insista-t-elle, il lisait et
relisait deux ou trois livres. Il feuil-
letait sans cesse les recueils du *Saint-
Nicolas* des années 90, mais sans qu'on
ait jamais eu la preuve qu'il en retînt
quoi que ce fût. Oh! Et puis il n'était
pas très attachant, non! ni très ragoû-
tant, son pauvre « sagouin »! Il fal-

lait être une maman : elle-même avait
peine à le supporter parfois... L'instituteur souffrait pour elle. Il proposa de prendre le petit en obser-
vation, le soir vers cinq heures,
après la sortie des enfants. Mais il ne
s'engageait à rien avant de l'avoir
vu... Paule lui saisit les deux mains.
Sa voix était étouffée par une émotion à demi feinte, quand elle
ajouta :

— Je pense au rapprochement
que vous ne pourrez éviter de faire
entre mon malheureux petit et votre
Jean-Pierre.

Elle détourna un peu la tête comme
pour dérober sa honte. Qu'elle était
bien inspirée ce jour-là ! Ce couple
d'instituteurs accoutumés à une atmos-
sphère hostile, suspects aux paysans
comme aux propriétaires, traités par

le clergé en ennemis publics, ce qu'il leur advenait ils n'eussent jamais pu imaginer que ce fût possible : quelqu'un du château avait une faveur à obtenir d'eux, venait en quémandeur, et non seulement les admirait, mais les enviait. Avec quelle humilité cette dame avait fait allusion à son mari, à son fils dégénéré ! Robert un peu excité par l'aventure et se rappelant que ce béret et cet imperméable déguisaient une baronne authentique, risqua d'un ton bon enfant :

— Mais madame, je m'étonne que vous ne redoutiez pas mon influence sur le petit... Vous savez que je pense mal ?

Le rire plissait ses tempes ; on ne voyait plus rien de ses yeux bridés que leur lumière.

— Vous ne me connaissez pas, dit Paule gravement, vous ne savez pas qui je suis.

Ils ne la croiraient pas si elle les assurait que cette influence, elle souhaitait que son pauvre fils fût capable de la subir.

— Car je suis aussi étrangère que vous pouvez l'être aux idées de mon milieu... Un jour, je vous raconterai...

Ainsi amorçait-elle de futures confidences. Il ne fallait rien ajouter, rien abîmer. Déjà elle prenait congé de ses hôtes étonnés de ce qu'elle venait de leur dire touchant ses idées. Il fut entendu qu'elle amènerait Guillaume le lendemain après quatre heures. Et tout à coup, elle prenait un ton grande dame imité de sa belle-mère et de sa belle-sœur Arbis :

— Merci tellement ! vous ne savez pas quel bien vous m'avez fait ! Mais si ! mais si ! Vous ne pouvez pas savoir !

— Tu lui plais, c'est évident, dit Léone.

Elle débarrassa la table et prit en soupirant un paquet de copies à corriger.

— Je ne la trouve pas si antipathique.

— Voyez-vous ça ? Elle te traite avec déférence, mais veux-tu que je te dise ? méfie-toi d'elle.

— Je la crois un peu folle... En tout cas, c'est une exaltée.

— Une folle qui sait ce qu'elle xeut. Rappelle-toi ce qu'on raconte... Son histoire avec le curé ! Tiens-toi à arr eau.

Il se leva, étira ses grands bras et dit :

— Je n'ai pas de goût pour les femmes à barbe.

— Elle ne serait pas si mal, observa Léone, si elle était plus soignée.

— Je me rappelle maintenant ce que m'a dit Lousteau, ce n'est pas une vraie noble. Elle est la fille ou la nièce de Meulière, l'ancien maire de Bordeaux... Pourquoi ris-tu?

— Parce que tu as l'air déçu qu'elle ne soit pas une vraie noble...

Il parut furieux, et les épaules soulevées, alla sur le pas de la porte et s'accota au mur, en soufflant dans sa pipe.

Tandis que sa mère s'occupait de le livrer à l'instituteur rouge, le petit lièvre débusqué de son gîte, désespérait de s'y tapir encore ; il clignait des yeux dans la lumière aveuglante des grandes personnes. Durant l'absence de sa mère, un différend avait éclaté entre les trois divinités favorables : papa, Mamie et Fraulein. A dire vrai, grand'mère et Fraulein avaient de fréquentes prises de bec, presque toujours sur des sujets anodins. L'Autrichienne se permettait parfois des paroles dont l'usage toujours respecté de la troisième personne rendait plus étrange la brutalité. Mais ce jour-là, Guillaume comprenait confusément que Fraulein elle-même souhaitait qu'il fût livré à l'instituteur :

— Pourquoi ne deviendrait-il pas un Monsieur instruit ? Il vaut bien les autres, je pense !

Et se tournant vers Guillaume :

— Va t'amuser dehors, va mon
poulet, va ma cocotte...

Il sortit, puis se glissa de nouveau
dans la cuisine : n'était-il pas admis
qu'il n'écoutait jamais et que d'ailleurs il ne comprenait rien?

La baronne sans daigner répondre
à Fraulein, haranguait son fils assis
dans le fauteuil de paille qu'il affec-
tionnait, devant la cheminée de la
cuisine : l'hiver, il y passait les après-
midi de pluie à faire des allumettes
de papier ou à astiquer les fusils de
son père dont il ne s'était jamais servi.

— Montre de l'autorité une fois
dans ta vie, Galéas, suppliait la
vieille dame. Tu n'as qu'un mot à dire :
non, et non ! Je ne veux pas livrer
mon fils à ce communiste... — puis
laisse passer l'orage.

Mais Fraulein protestait :

— N'écoute pas Mme la baronne
(elle tutoyait Galéas qu'elle avait
nourri). Pourquoi Guillou ne serait-
il pas aussi instruit que les enfants
d'Arbis?

— Laissez les Arbis tranquilles,
Fraulein. Ils n'ont rien à voir à l'affaire. Je ne veux pas que mon petit-
fils prenne les idées de cet homme :
voilà le fond de l'histoire.

— Pauvre poule ! comme si on
allait lui parler politique...

— Il ne s'agit pas de politique...
Et la religion? qu'est-ce que vous en
faites? Il n'est pas déjà si ferré en
catéchisme...

Guillaume observait son père immobile, les yeux fixés sur les sarments embrasés et qui ne manifestait
par aucun signe qu'il inclinât d'un
côté ou de l'autre. Guillou, la bouche

ouverte, essayait de comprendre.

— Madame la baronne, au fond, se moque bien qu'il vive plus tard comme un paysan... Qui sait si elle ne ie désire pas, après tout !

— Vous n'avez pas à plaider auprès de moi la cause de mon petit-fils ! C'est tout de même trop fort, insista la baronne, sur un ton faussement indigné et qui trahissait quelque embarras.

— Oui, oui, Madame la baronne aime bien Guillou, elle est contente de l'avoir auprès d'elle, ici ; mais c'est sur les autres qu'elle compte quand elle pense à l'avenir de la famille...

La baronne traita Fraulein de « corneille qui abat des noix ». Mais la voix aigre de l'Autrichienne dominait aisément celle de sa maîtresse :

— La preuve, c'est qu'après la mort de Georges, il a été entendu que l'aîné des Arbis, Stanislas, ajouterait le nom de Cernès au nom d'Arbis, comme si il ne restait pas de Cernès en ce monde, comme si Guillou ne s'appelait pas Guillaume de Cernès.

« Le petit écoute, » dit tout à coup Galéas. Il retomba dans son silence. Fraulein prit l'enfant par les épaules et le poussa doucement dehors. Mais il demeura dans l'office, d'où il entendit Fraulein crier :

— En voilà un qu'on n'aurait pas pu appeler Désiré quand il est né ! Madame la baronne se rappelle ce qu'elle m'a dit : que ça ne devait pas être fréquent qu'un malade fît un enfant à sa garde-malade...

— Je ne vous ai rien dit de tel, Fraulein. Galéas se portait fort bien... Ce n'est pas dans mes habitudes d'être si grossière.

— Enfin Madame la baronne doit se souvenir que l'enfant n'était pas prévu au programme. Moi qui connaissais mon Galéas, je savais qu'il n'était pas plus manchot qu'un autre, comme on l'a bien vu...

Une flamme suspecte brilla entre les paupières roses et sans cils de l'Autrichienne. « Vos yeux de truie... » lui avait dit un jour Mme Galéas. La baronne choquée lui tourna le dos.

Guillou, le nez appuyé contre la vitre de l'office, regardait gicler les gouttes de pluie dont chacune était comme un dansant petit personnage. Des grandes personnes s'occupaient de lui sans cesse et elles étaient divisées à son sujet. On n'aurait pas pu l'appeler Désiré. Il aurait voulu repenser à ces histoires qu'il se racontait à lui-même, qu'il connaissait seul, mais impossible de s'évader, cette fois, à moins que l'instituteur ait maintenu son refus. Alors Guillou serait tellement heureux qu'il se moquerait bien de n'avoir pas été désiré. Il ne demandait rien que de n'être pas mêlé à d'autres enfants qui lui feraient des misères, que de ne pas avoir affaire à des maîtres qui parlent fort, qui s'exaspèrent, qui articulent d'un air dur des mots dépourvus de signification.

Mamie ne l'avait pas désiré, ni sa mère, bien sûr ! Savaient-elles d'avance qu'il ne serait pas comme les autres ? Et pauvre papa ? En tout cas ce ne serait pas lui qui le délivrerait de l'instituteur. Comme la baronne s'épuisait à lui répéter :

— Tu n'as qu'à dire non... Ce
n'est pourtant pas difficile ! Puisque
je te répète que tu n'as qu'à dire
non... Puisque tu n'as qu'à dire non...

Mais il secouait, sans rien répondre,
sa grosse tête grise et frisée. Il dit
enfin :

— J'ai pas le droit...

— Qu'est-ce que cela signifie, Galéas? Le père de famille a tous les
droits pour ce qui touche à l'éduca-
tion des enfants.

Mais il secouait toujours la tête,
l'air buté, répétant : « J'ai pas le
droit... »

Ce fut alors que Guillaume revint
en larmes et se jeta dans les jambes
de Fraulein :

— Voilà maman ! Elle rit toute
seule. Sûrement que l'instituteur veut
bien.

— Et après? Il ne te mangera pas, petit nigaud. Mouchez-le, Fraulein. Cet enfant est dégoûtant.

Il disparut dans la souillarde au moment où sa mère triomphante passait le seuil de la cuisine.

— Tout est arrangé, dit-elle. Je lui amène Guillaume demain à quatre heures.

— Si votre mari y consent.

— Bien sûr, ma mère. Mais il y consent, cela va sans dire, n'est-ce pas Galéas?

— En tout cas, ma fille, le petit vous donnera du fil à retordre, je vous en réponds.

— Au fait, où est-il? demanda Paule. Il me semble que je l'ai entendu renifler.

Alors ils virent sortir de la souillarde Guillaume sous son aspect le

plus misérable, la figure barbouillée
de morve, de salive et de larmes.

— J'irai pas ! gémit-il sans regarder sa mère. J'irai pas chez l'instituteur !

Paule avait toujours eu honte de
lui ; mais ce jour-là, derrière le petit
être grimaçant, apparaissait le père
dans son fauteuil ; cette bouche ouverte de l'enfant était la réplique
d'une autre bouche mouillée et froide.
Avec une colère contenue, d'une voix
presque douce, Paule dit :

— Je ne pourrai t'y traîner de
force. Il ne restera donc que de te
mettre pensionnaire au lycée.

La baronne haussa les épaules.

— Vous savez bien qu'ils ne le
garderont pas, ce malheureux petit.

— Alors je ne vois pas d'autre solu-
tion qu'un pénitencier...

Si souvent elle en avait menacé Guillou, qu'il se faisait une certaine idée vague et terrifiante des maisons de correction. Il se mit à trembler et gémit : « Non, maman ! non, non... » et il se jeta contre Fraulein, cacha sa figure dans la molle poitrine.

— Ne la crois pas, ma poule... Penses-tu que je la laisserai faire...

— Fraulein n'a pas voix au chapitre. Et cette fois ce n'est pas pour rire, je me suis déjà renseignée, j'ai des adresses, ajouta Paule avec une sorte d'excitation joyeuse.

Ce qui acheva d'accabler l'enfant, ce fut l'éclat de rire de sa vieille Mamie :

— Pourquoi, ma fille, ne pas le mettre dans un sac ? Pourquoi ne pas le jeter à la rivière comme un petit chat ?

Fou de terreur, il frottait sa figure de son mouchoir sale :

— Non, Mamie, non, pas dans un sac !

Il n'avait aucun sentiment de l'ironie, prenait tout au pied de la lettre.

— Petit nigaud ! dit la baronne en l'attirant.

Mais, sans brusquerie, elle le repoussa :

— On ne sait par quel bout le prendre. Quel sagouin ! Amenez-le, Fraulein. Va te débarbouiller, va...

Il claquait des dents :

— J'irai chez l'instituteur, maman, je serai bien sage !

— Ah ! tu es raisonnable enfin !

Fraulein lui lavait la figure au robinet de la souillarde :

— C'est pour te faire peur, mon

poulet, ne les crois pas, moque-toi
d'eux.

Galéas se dressa alors, et sans regarder personne :

— Il fait soleil, maintenant. Tu
m'accompagnes au cimetière, petit?

Guillou redoutait les promenades
avec son père ; mais cette fois, il se
laissa prendre volontiers la main et,
toujours reniflant, le suivit.

Il ne pleuvait plus. Au soleil tiède,
l'herbe trempée brillait. Le chemin
contournait le village à travers des
prairies. D'ordinaire, Guillaume avait
peur des vaches qui lèvent la tête
et vous suivent longuement du regard
comme si elles hésitaient à foncer.
Son père lui serrait la main et ne
prononçait pas une parole. Ils auraient pu marcher des heures sans

rien se dire. Guillou ne savait pas que
le pauvre homme était désespéré de
ce silence, qu'il essayait en vain de
fixer une idée ; mais il n'y a rien à
dire à un petit garçon. Ils entrèrent
dans le cimetière par une brèche pleine
d'orties, derrière le chevet de l'église.

Les tombes étaient couvertes encore des bouquets fanés de la Tous-
saint. Galéas lâcha la main de son
fils, prit une brouette. Guillaume le
regarda s'éloigner. Ce tricot marron
reprisé, ce fond de culotte qui paraissait vide, cette énorme tignasse sous
un petit béret, c'était son père. Lui,
il demeura assis sous une pierre tombale à demi disparue, que le soleil
d'arrière-saison tiédissait un peu. Il
sentait le froid pourtant ; l'idée lui
vint qu'il pourrait attraper du mal,
qu'il serait le lendemain incapable de

sortir. La mort... Devenir comme
ceux qu'il essayait d'imaginer dans
cette terre grasse : les morts, ces
taupes humaines dont la présence se
manifeste par de petits monticules.

Au delà du mur, il voyait la campagne déjà inhabitable aux approches
de l'hiver, les vignes grelottantes, la
terre comme huileuse, gluante, élé-
ment inhumain où il eût été aussi fou
de s'aventurer que sur les vagues de
la mer. Au bas du coteau, coulait,
vers la rivière « le Ciron », un ruisseau
gonflé par les pluies, s'accumulait un
mystère de marécages, de taillis inex-
tricables ; Guillou avait entendu dire
qu'on y faisait lever quelquefois une
bécasse. Ainsi l'enfant chassé de son
terrier, tremblait de peur et de froid
au milieu de la vie hostile, de la nature
ennemie. Au flanc des collines, écla-

tait le rouge industriel des tuiles
neuves, mais d'instinct, son regard
cherchait le rose terni par la pluie
des vieilles tuiles rondes. Tout près
de lui, des lézardes déshonoraient le
chevet de l'église ; un vitrail était
crevé. Il savait que « le bon Dieu n'y
était pas », que M. le curé ne voulait
pas y laisser le bon Dieu par crainte
des sacrilèges. Le bon Dieu n'était pas
non plus dans la chapelle du château
où Fraulein entassait des balais, des
caisses, des chaises brisées. Où rési-
dait-il, le Dieu de ce monde cruel ?
Où donc avait-il laissé une trace ?

Guillou eut froid. Une ortie brûla
son mollet. S'étant levé, il fit quelques
pas jusqu'à la pyramide du monu-
ment aux morts qu'on avait inauguré
l'année dernière. Treize noms pour
ce petit village : de Cernès Georges,

Laclotte Jean, Lapeyre Joseph, Lapeyre Ernest, Lartigue René... Guillou voyait le tricot marron de son père se courber entre les tombes, se relever, il entendait grincer la roue de la brouette. Demain il serait livré à l'instituteur rouge. L'instituteur pourrait mourir subitement cette nuit. Il se passerait peut-être quelque chose : un cyclone, un tremblement de terre... Mais non, rien jamais ne ferait taire cette voix terrible de sa mère, rien n'éteindrait ces yeux méchants rivés sur lui qui le rendaient conscients à la fois de sa maigreur, de ses genoux sales, de ses chaussettes retombées ; alors Guillaume ravalait sa salive et pour désarmer son ennemie essayait de fermer la bouche... Mais la voix exaspérée éclatait (et il croyait l'entendre encore dans ce petit

cimetière où il grelottait) : « Va-t’en
où tu voudras, mais que je ne te voie
plus. »

A cette même heure, Paule avait
allumé le feu dans sa chambre et songeait. On ne peut pas se faire aimer à
volonté, on n’est pas libre de plaire ;
mais aucune puissance sur la terre ni
dans le ciel ne saurait empêcher une
femme d’élire un homme et de le choisir pour dieu. Lui-même, cela ne le
concerne pas puisque rien ne lui est
demandé en échange. Elle est résolue
de mettre cette idole au centre de sa
vie. Il ne lui reste rien d’autre à faire
que d’élever un autel dans son désert
et de le consacrer à cette divinité
frisée.

Les autres finissent toujours par
implorer leur dieu, mais elle est réso-

lue à ne rien attendre du sien. Elle
ne lui dérobera que ce qu'on peut
prendre d'un être à son insu. Mira-
culeux pouvoir du regard sournois et
de la pensée incontrôlable ! Peut-être
un jour lui sera-t-il donné d'oser un
geste, peut-être ce dieu souffrira-t-il
le contact d'une bouche sur sa main...

III

Sa mère l'entraînait rapidement sur
la route creusée d'ornières pleines de
pluie. Ils croisèrent les enfants de
l'école qui rentraient chez eux sans
parler ni rire. Les gibernes invisibles
qu'ils portaient sur le dos gonflaient
leurs pèlerines. Les yeux sombres ou
clairs de ces petits bossus luisaient
au fond des capuchons. Guillou songeait qu'ils fussent devenus ses bourreaux, s'il avait dû travailler et jouer
avec eux. Mais il allait être livré seul
à l'instituteur qui n'aurait à s'occuper
que de lui, qui concentrerait sur lui
cette puissance redoutable des grandes

personnes pour écraser le petit Guillou
de leurs questions, pour le presser
d'explications et d'arguments. Ce pouvoir ne s'épuiserait pas sur toute une
classe. Guillou devrait seul tenir tête
à ce monstre de science, indigné et
exaspéré contre un enfant qui ignore
jusqu'au sens des mots dont on
l'étourdit.

Il allait à l'école à l'heure où les
autres garçons en revenaient. Cela le
frappa : il eut comme la sensation de
sa différence, de sa solitude. La main
sèche et chaude qui tenait la sienne
resserra son étreinte. Une force indif-
férente sinon ennemie le remorquait.
Enfermée dans un univers inconnu
de passions et de pensées, pas une
fois sa mère ne lui adressa la parole.
Voici déjà les premières maisons dans
le crépuscule qu'elles baignent et par-

fument de leurs fumées, la lueur des
lampes et des flambées derrière les
vitres troubles et la clarté plus vive
de l'hôtel Dupuy. Deux charrettes
étaient arrêtées ; les larges dos des
bouviers bougeaient devant le comp-
toir. Encore une minute : cette lumière, c'était là... Il se souvint de la
grosse voix que prenait Mamie quand
elle racontait *le Petit Poucet : « C'est
la maison de l'ogre!* » Il discernait
maintenant à travers la porte vitrée
la femme de l'ogre qui sans doute
guettait sa proie.

— Pourquoi trembles-tu, imbécile?
M. Bordas ne te mangera pas.

— Il a peut-être froid?

Paule haussa les épaules et d'un air
excédé :

— Mais non, c'est nerveux. Ça le

prend, on ne sait pourquoi. A dix-
huit mois, il a eu des convulsions...

Les dents de Guillou claquaient.
On n'entendait que ce claquement et
le balancier de la grosse horloge.

— Léone, enlève-lui ses souliers,
dit l'ogre. Mets-lui les chaussons de
Jean-Pierre.

— Je vous en prie, protesta Paule.
Ne vous donnez pas cette peine.

Mais déjà Léone revenait avec une
paire de chaussons. Elle prit Guillou
sur ses genoux, lui enleva sa pèlerine
et se rapprocha du feu.

— Un grand garçon comme toi,
dit sa mère. Tu n'as pas honte? Je
n'ai apporté ni livres ni cahier, ajouta-
t-elle.

L'ogre assura qu'il n'en avait pas
besoin : ce soir, on se contenterait
de parler, de faire connaissance.

— Je repasserai dans deux heures, dit Paule.

Guillou n'entendit pas les paroles que sa mère et l'instituteur échangeaient à mi-voix sur le seuil. Il sut qu'elle était partie parce qu'il ne sentait plus le froid. La porte avait été refermée.

— Veux-tu nous aider à écosser les haricots? demanda Léone. Mais peut-être ne sais-tu pas écosser les haricots?

Il rit et dit qu'il aidait toujours Fraulein. Cela le rassurait qu'on lui parlât de haricots. Il se risqua à ajouter :

— Chez nous, ils sont ramassés depuis longtemps.

— Oh! ceux-là, dit l'institutrice, sont des retardataires. Il y en a beaucoup de pourris, il faut les trier.

Guillou se rapprocha de la table

et se mit à la besogne. La cuisine des Bordas était pareille à toutes les cuisines, avec la grande cheminée où pendait la marmite accrochée à la crémaillère, la longue table, les chaudrons de cuivre sur une étagère, et sur une autre les pots de confit alignés, et deux jambons suspendus aux solives, enveloppés de sacs... Et pourtant Guillou avait pénétré dans un monde étrange et délicieux. Était-ce l'odeur de la pipe qui, même éteinte, ne quittait guère la bouche de M. Bordas? Mais surtout il y avait partout des livres, des piles de journaux sur le buffet et sur un guéridon à portée de la main du maître d'école. Les jambes allongées, sans prêter aucune attention à Guillou, il coupait les pages d'une revue à couverture blanche dont le titre était rouge.

Au manteau de la cheminée était accroché le portrait d'un gros homme barbu qui croisait les bras. Il y avait un mot imprimé au-dessous que l'enfant de sa place essayait d'épeler à mi-voix : Jau... Jaur...

— Jaurès, dit soudain l'ogre. Tu sais qui était Jaurès?

Guillou secoua la tête. Léone intervint :

— Tu ne vas pas commencer par lui parler de Jaurès?

— C'est lui qui m'en parle, dit M. Bordas.

Il riait. Guillou aimait ces yeux quand le rire les rapetissait. Il aurait voulu savoir qui était Jaurès. Cela ne l'ennuyait pas de trier les haricots. Il faisait un tas de ceux qui étaient gâtés. On le laissait tranquille. Il pouvait penser à ce qu'il voulait, observer l'ogre et l'ogresse et leur maison.

— Tu en as peut-être assez? demanda soudain M. Bordas.

L'instituteur ne lisait pas sa revue ; il déchiffrait le sommaire, coupait les pages, s'arrêtait aux signatures, approchait le fascicule de son visage, le flairait avec gourmandise. Cette revue qui venait de Paris... Il songeait au bonheur inimaginable des hommes qui y collaboraient. Il essayait de se représenter leurs visages, la salle de rédaction où ils se rencontraient pour des échanges de vues : ces hommes qui savent tout, « qui ont fait le tour des idées... » Léone ignorait qu'il avait envoyé à la revue une étude sur Romain Rolland. Il avait reçu une réponse très polie, mais c'était un refus. L'étude avait un caractère politique trop accusé.

La pluie maintenant ruisselait sur les
tuiles, débordait des gouttières. On
n'a qu'une vie à vivre. Robert Bordas
ne connaîtrait jamais cette vie de
Paris. Celle qu'il menait à Cernès,
M. Lousteau disait qu'il pourrait en
tirer une œuvre... Il lui avait con-
seillé d'écrire son journal. Mais il ne
s'intéressait pas lui-même. Les autres
non plus ne l'intéressaient guère. Il
eût aimé les persuader, leur imposer
ses idées — mais leur singularité ne
fixait pas son attention... Il était doué
pour la parole, pour l'article rapide.
Ses papiers de *la France du Sud-
Ouest*, M. Lousteau les trouvait supé-
rieurs à tout ce qui se publiait à Paris,
sauf dans *l'Action française*. A *l'Humanité*, à en croire Lousteau, il n'y
avait personne qui le valût. Paris...
Il avait promis à Léone que jamais

il ne quitterait Cernès, même quand Jean-Pierre serait entré à l'École normale... Même plus tard, quand le fils « arrivé » occuperait le premier rang. Il ne faudrait pas le gêner, l'encombrer. « Chacun à sa place, » disait Léone.

Robert avait collé son front à la vitre de la porte, il se retourna et vit les tendres yeux mouillés de Guillou fixés sur lui, qui se dérobèrent aussitôt. Il se rappela que l'enfant aimait la lecture.

— Tu en as assez d'écosser des haricots, petit? Veux-tu que je te prête un livre avec des images?

Guillou répondit que ça lui était égal qu'il n'y eût pas d'images.

— Montre-lui la bibliothèque de Jean-Pierre, dit Léone, il pourra choisir.

Précédé de M. Bordas qui portait une lampe Pigeon, l'enfant traversa la chambre du ménage. Elle lui parut magnifique. Sur l'immense lit sculpté régnait un édredon cerise, comme si du sirop de groseille eût été renversé sur la courtepointe. Des photographies agrandies étaient accrochées tout près du plafond. Puis M. Bordas le fit entrer dans une pièce plus petite qui sentait le renfermé. L'instituteur éleva orgueilleusement la lampe, et Guillou admira la chambre du fils.

— Évidemment, on doit être mieux logé au château... mais tout de même, ajouta l'instituteur avec satisfaction, ce n'est pas mal...

L'enfant n'en croyait pas ses yeux. Pour la première fois, le petit châtelain pensa au réduit où il couchait. L'odeur y régnait de Mlle Adrienne,

chargée d'entretenir le linge du château, et qui y passait les après-midi.
Un mannequin qui ne servait jamais
se dressait à côté de la machine à
coudre. Un lit pliant recouvert d'une
housse servait à Fraulein durant les
maladies de Guillou. Tout à coup
il imagina la carpette élimée sur laquelle si souvent il avait renversé
son vase. Jean-Pierre Bordas avait
cette chambre pour lui tout seul, ce
lit peint en blanc avec des dessins
bleus, cette bibliothèque vitrée garnie
de livres.

— Presque tous, ce sont des prix,
dit M. Bordas. Il a toujours eu tous
les prix de sa classe.

Guillou effleurait de la main chaque
volume.

— Choisis celui que tu voudras.

— Oh ! *L'Ile mystérieuse...* L'avez-vous lu? demanda-t-il, ses yeux brillants levés vers M. Bordas.

— Oui, dit l'instituteur, quand j'avais ton âge... Mais figure-toi que j'ai oublié... C'est une histoire de Robinson, je crois?

— Oh! c'est bien mieux que Robinson! s'écria Guillou avec ferveur.

— Pourquoi est-ce mieux?

Mais cette brusque question le fit rentrer dans sa coquille. Il reprit son air absent, presque hébété.

— Je croyais que c'était une suite, reprit M. Bordas après un silence.

— Oui, il faut avoir lu *Vingt mille lieues sous les mers* et *Les Enfants du capitaine Grant*. Je ne connais pas *Vingt mille lieues sous les mers*... Mais ça n'empêche pas de comprendre vous savez? Sauf quand Cyrus Smith fabrique des choses, comme de la dynamite... Je saute toujours ces pages-là...

— Est-ce qu'il n'y a pas un homme abandonné que les compagnons de l'ingénieur découvrent dans une île voisine?

— Oui, oui, Ayrton, vous vous souvenez? C'est si beau lorsque Cyrus Smith lui dit : « Tu es un homme puisque tu pleures... »

M. Bordas, sans regarder l'enfant, prit le gros livre rouge et le lui tendit.

— Tiens, cherche l'endroit... Je crois me rappeler qu'il y a une gravure.

— C'est à la fin du chapitre xv, dit Guillou.

— Voyons, lis-moi toute la page... Ça me rappellera quand j'étais petit.

M. Bordas alluma une lampe à pétrole et installa Guillou devant la table où Jean-Pierre avait laissé des

taches d'encre. L'enfant commença
de lire d'une voix étranglée. L'instituteur ne saisit d'abord que quelques
mots. Il s'était assis un peu en retrait,
dans l'ombre, et retenait presque son
souffle comme s'il eût craint d'effaroucher un oiseau sauvage. Après
quelques minutes, la voix du lecteur
s'échauffa... Sans doute avait-il perdu
conscience qu'on l'écoutait :

— *Arrivé à l'endroit où croissaient*
les premiers beaux arbres de la forêt,
dont la brise agitait légèrement le
feuillage, l'inconnu parut humer avec
ivresse cette senteur pénétrante qui im-
prégnait l'atmosphère, et un long soupir
s'échappa de sa poitrine. Les colons
se tenaient en arrière, prêts à le retenir
s'il eût fait un mouvement pour s'échap-
per. Et en effet, le pauvre être fut sur
le point de s'élancer dans le creek qui

*le séparait de la forêt et ses jambes
se détendirent un instant comme un
ressort... Mais presque aussitôt il se
replia sur lui-même, il s'affaissa à
demi et une grosse larme coula de ses
yeux. « Ah! s'écria Cyrus Smith, te
voilà donc redevenu homme, puisque tu
pleures! »*

— Comme c'est beau ! dit M. Bordas. Je me rappelle maintenant...
Est-ce que l'île n'est pas attaquée
par les Convicts?

— Oui, c'est Ayrton qui reconnaît,
le premier, le pavillon noir... Voulez-
vous que je vous lise?

L'instituteur recula un peu sa
chaise. Il aurait pu, il aurait dû
s'émerveiller d'entendre cette voix
fervente de l'enfant qui passait pour
idiot. Il aurait pu, il aurait dû se
réjouir de la tâche qui lui était assi-

gnée, du pouvoir qu'il détenait pour
sauver ce petit être frémissant. Mais
il n'entendait l'enfant qu'à travers
son propre tumulte. Il était un homme
dans sa quarantième année plein de
désirs et d'idées, et il ne sortirait
jamais de cette école au bord d'une
route déserte. Il comprenait, il jugeait
tout ce qui était imprimé dans la
revue dont il respirait l'odeur d'encre
et de colle. Tous les débats soulevés
lui étaient familiers, bien qu'il ne
pût en parler qu'avec M. Lousteau.
Léone eût été capable de comprendre
bien des choses mais elle préférait les
besognes. Son activité physique crois-
sait avec la paresse de son esprit.
Elle mettait son orgueil, le soir, à ne
plus pouvoir tenir les yeux ouverts,
tant elle était lasse. Elle plaignait
parfois son mari, trop intelligente

pour ne pas comprendre qu'il souffrait, mais Jean-Pierre serait leur revanche. Elle croyait qu'un garçon, à l'âge qu'avait atteint son mari, se décharge volontiers sur un fils de sa propre destinée... Elle le croyait !

Il s'aperçut que l'enfant arrivé à la fin du chapitre, s'était arrêté.

— Est-ce qu'il faut que je continue ?

— Non, dit M. Bordas, repose-toi. Tu lis très bien. Veux-tu que je te prête un livre de Jean-Pierre ?

L'enfant se leva vivement et de nouveau il examinait chaque livre un à un, épelait les titres à mi-voix.

— *Sans famille*, c'est joli ?

— Jean - Pierre l'admirait beaucoup. Maintenant il lit des livres plus sérieux.

— Est-ce que vous croyez que je comprendrai ?

— Bien sûr que tu comprendras !
Moi, avec ma classe, je n'ai plus beaucoup le temps de lire... Mais chaque
jour tu me raconteras l'histoire : ça
me distraira.

— Vous dites ça ! je sais bien que
c'est pour rire...

Guillou s'était approché de la cheminée. Il examinait, appuyée contre
la glace, une photographie : des ly-
céens groupés autour de deux professeurs à binocles, dont les gros
genoux tendaient les pantalons. Il demanda si Jean-Pierre était parmi eux.

— Oui, au premier rang, à la droite
du professeur.

Guillou pensa qu'il l'aurait reconnu
même si on ne le lui avait pas indiqué.
Entre tant de figures insignifiantes,
ce visage resplendissait. Était-ce à
cause de tout ce qu'on lui avait ra-

conté de Jean-Pierre? Pour la première fois, l'enfant discernait une face
humaine. Jusqu'alors il avait pu res-
ter de longs instants à contempler
une image, à s'attacher aux traits
d'un héros inventé. Il pensa tout à
coup que ce garçon avec ce vaste front
et ces boucles courtes, et ce pli entre
les sourcils était le même qui lisait ces
livres, qui travaillait à cette table,
qui dormait dans ce lit.

— Alors cette chambre est à lui
tout seul? On n'y entre pas sans qu'il
le veuille?

Lui, il n'était seul qu'aux cabi-
nets... La pluie ruisselait sur le toit.
Qu'il devait être doux de vivre là au
milieu des livres, bien à l'abri... hors
de la portée des autres hommes. Mais
Jean-Pierre, lui, n'avait aucun besoin
de protection : il était le premier de

sa classe dans toutes les matières. Il avait même obtenu le prix de gym- nastique, disait M. Bordas. Léone entr'ouvrit la porte.

— Ta maman est là, mon petit bonhomme.

Il suivit de nouveau l'instituteur qui portait la lampe, traversa la chambre nuptiale. Paule de Cernès avait rap- proché du feu ses souliers pleins de boue. Selon sa coutume, elle avait dû errer dans les petits chemins...

— Bien entendu, vous n'avez rien pu en tirer?

L'instituteur protesta que ça n'avait pas mal marché du tout. L'en- fant baissait la tête ; Léone lui bou- tonnait sa pèlerine.

— Si vous voulez m'accompagner un instant, demanda Paule, il ne pleut plus, vous me direz votre impression?

M. Bordas décrocha son imperméable. Sa femme le suivit dans la
chambre : il n'allait pas courir les
routes, la nuit, avec cette folle? Il se
ferait montrer du doigt. Mais il la
rabroua. Paule qui avait deviné le
sujet de leur dispute à voix basse,
feignit de n'avoir rien entendu et sur
le seuil, elle accablait encore Léone
de protestations et de remerciements.
Enfin ! Elle avançait, auprès de l'instituteur, dans la nuit mouillée. Elle
dit à Guillou :

— Marche devant nous. Ne reste
pas dans nos jambes.

Puis elle demanda d'une voix insis-
tante :

— Ne me cachez rien. Aussi pé-
nible que doive être votre jugement
pour une mère...

Il avait ralenti le pas. Comment ne

pas donner raison à Léone? Il ne fallait pas traverser la flaque de lumière, devant la porte de l'hôtel Dupuy. Mais même eût-il été assuré de n'être pas vu, il se serait tenu sur la défensive. Avait-il jamais eu d'autre attitude à l'égard des femmes, depuis l'adolescence? C'était toujours elles qui le cherchaient et lui qui se dérobait, mais non pour être poursuivi. Comme ils approchaient de l'hôtel Dupuy, il s'arrêta.

— Nous causerons mieux chez moi, demain, à la fin de la matinée. Je sors de la mairie un peu avant midi.

Elle savait pourquoi il ne ferait pas un pas de plus. Elle se réjouit de ce qui ressemblait à un commencement de complicité.

— Oui, oui, lui souffla-t-elle, cela vaudra mieux.

— A demain soir, mon petit Guillaume. Tu me liras *Sans Famille*.

M. Bordas se contenta de toucher son béret d'un doigt. Déjà Paule ne le voyait plus, mais elle entendait encore le bruit de sa canne heurtant un caillou. L'enfant, lui aussi, demeura quelques secondes immobile au milieu de la route, tourné vers cette lumière qui éclairait la maison de Jean-Pierre Bordas.

Sa mère lui prit le bras. Elle ne lui posait aucune question : il n'y avait rien à tirer de lui. D'ailleurs, que lui importait? Demain aurait lieu la première rencontre, le premier tête-à-tête. Elle serrait trop fort la petite main de Guillou et parfois, ses pieds sentaient le froid de l'eau de pluie.

— Approche-toi du feu, dit Fraulein. Tu es trempé comme une soupe.

Leurs yeux à tous étaient braqués sur lui. Il fallait répondre à leurs questions.

— Eh bien, il ne t'a pas dévoré tout cru, le maître d'école?

Il secoua la tête.

— Qu'est-ce que tu as fait pendant ces deux heures?

Il ne savait que répondre. Qu'avait-il fait au juste? Sa mère lui pinça le bras :

— Est-ce que tu n'entends pas? Qu'as-tu fait pendant ces deux heures?

— J'ai écossé des haricots...

La baronne leva ses vieilles mains :

— Ils t'ont fait écosser leurs haricots! Ça, c'est magnifique! répétait-elle, imitant à son insu ses petits-enfants Arbis. Vous entendez,

Paule? l'instituteur et sa femme se
donnent les gants de faire écosser
leurs haricots par mon petit-fils. On
aura tout vu ! Et ils ne t'ont pas prié
de balayer leur cuisine?

— Non, Mamie ; j'ai seulement
écossé les haricots... il y en avait beaucoup de pourris, il fallait les trier.

— Ils ont tout de suite vu de quoi
il était capable, dit Paule.

Fraulein protesta :

— Je pense qu'ils n'ont pas voulu
l'effaroucher le premier jour.

Mais la baronne savait ce qu'on est
en droit d'attendre de « ces gens là »
quand on se met entre leurs pattes :

— Ces gens-là ont été trop heureux
de nous jouer ce tour. Mais s'ils
croient me vexer, ils se trompent.
S'ils s'imaginent que je me sens le
moins du monde atteinte...

— S'ils traitaient mal Guillou, interrompit aigrement Fraulein, je suis
bien sûre que Madame la baronne ne
le supporterait pas... Ce n'est pas son
petit-fils peut-être?

Alors la voix de Guillou s'éleva :

— Il n'est pas méchant, l'instituteur !

— Parce qu'il t'a fait écosser des
haricots? Tu aimes bien ça, des travaux de domestique, de propre à
rien... Mais il te fera lire aussi, et
écrire, et compter... Et avec lui,
ajouta Paule, il faut que ça marche.
Tu penses ! l'instituteur !

Guillou répéta, d'une voix basse et
tremblante : « Il n'est pas méchant,
il m'a fait lire déjà, il dit que je lis
bien... » Mais sa mère, Mamie et
Fraulein de nouveau se chamaillaient,
et elles ne l'entendirent pas. Tant

pis ! tant mieux ! Il garderait son
secret. L'instituteur lui avait fait lire
à haute voix l'*Ile mystérieuse*. Demain,
il commencerait *Sans Famille*. Tous
les soirs, il irait chez M. Bordas. Il
regarderait aussi longtemps qu'il en
aurait envie la photographie de Jean-
Pierre. Il aimait follement Jean -
Pierre. Il deviendrait son ami pendant les grandes vacances. Tous les
livres de Jean-Pierre, il les feuillète-
rait un à un : ces livres que les mains
de Jean-Pierre avaient touchés. Ce
n'était pas de M. Bordas, c'était de ce
garçon inconnu que venait le bonheur
dont Guillou débordait, qu'il garda
en lui tout ce soir-là, durant le repas
interminable où les dieux irrités
étaient séparés par des steppes de
silence et où Guillou écoutait Galéas
mastiquer et déglutir. Ce bonheur

l'habitait encore tandis qu'il se déshabillait presque à tâtons entre le mannequin et la machine à coudre, qu'il grelottait sous ses draps tachés, qu'il recommençait sa prière parce qu'il n'avait pas fait attention au sens des mots, qu'il luttait contre l'envie de se coucher sur le ventre. Longtemps après que le sommeil l'eut pris, un sourire illuminait cette très vieille figure d'enfant à la lèvre pendante et mouillée, un sourire dont sa mère se fût étonnée peut-être si elle avait été de celles qui viennent border dans son lit et bénir leur petit garçon endormi.

Vers cette heure-là, Léone criait à son mari qui continuait de lire.

— Regarde ce qu'il a fait du livre de Jean-Pierre, ce petit sagouin ! des traces de doigt partout. Et même des trace de morve ! Quelle idée nous a pris de lui prêter les livres de Jean-Pierre?

— Ce ne sont pas des objets consacrés... Tu n'es pas la mère du Messie...

Léone déconcertée haussa encore le ton :

— Et d'abord, moi, je ne veux plus le voir ici, le sagouin. Donne-lui ses leçons dans la salle de l'école, à l'écurie, où tu voudras, mais pas chez nous.

Robert ferma le livre, se leva et vint s'asseoir près de sa femme, devant le feu.

— Tu n'as pas de suite dans les idées, dit-il. Tout à l'heure tu me reprochais d'avoir éconduit la vieille baronne et maintenant tu m'en veux d'avoir trop bien reçu sa belle-fille... Avoue que c'est la femme à barbe qui te fait peur. Pauvre femme à barbe !

Ils rirent tous deux.

— Avec ça que tu n'en serais pas fier ! dit Léone en l'embrassant. Je te connais ! avec la dame du château !

— Même si je voulais, je crois que je ne pourrais pas.

— Oui, dit Léone. Tu m'as expliqué ce qui distinguait les hommes : il y a ceux qui peuvent toujours et ceux qui ne peuvent pas toujours...

— Oui, et ceux qui peuvent toujours ne vivent que pour la chose, parce qu'on a beau dire, c'est ce qu'il y a de plus agréable au monde...

— Et ceux qui ne peuvent pas toujours, enchaîna Léone (ils entretenaient entre eux de secrètes rengaines, qu'ils rabâchaient depuis leurs fiançailles, et qui les aidaient pour finir leurs disputes)... Ceux-là se donnent à Dieu, ou à la science, ou à la littérature...

— Ou à l'homosexualité, conclut Robert.

Elle rit et passa dans le cabinet de toilette, sans fermer la porte. Tandis qu'il se déshabillait, il lui cria :

— Tu sais, ça m'aurait intéressé de m'occuper du sagouin !

Elle sortit du cabinet et vint à lui, l'air heureux, le cheveu tressé et pauvre, gentille dans sa chemise de pilou rose délavé :

— Alors, tu y renonces?

— Ce n'est pas à cause de la femme à barbe, dit-il. Mais j'ai réfléchi : il faut rattraper ça. J'ai eu tort d'accepter. Nous ne devons pas avoir de relations avec le château. La lutte des classes, ce n'est pas une histoire pour les manuels. Elle est inscrite dans notre vie de chaque jour. Elle doit inspirer toute notre conduite.

Il s'interrompit : à croupetons, elle coupait les ongles de ses orteils ; elle était résolue à ne pas l'écouter. On ne peut pas parler avec les femmes. Le sommier gémit sous ce grand corps. Elle vint se blottir contre lui et souffla la bougie. Une odeur de suif régna qu'ils aimaient tous deux parce qu'elle était annonciatrice de l'amour, du sommeil.

— Non, pas ce soir, dit Léone.

Ils chuchotèrent.

— Ne me parle plus, je dors.

— J'ai encore quelque chose à demander : comment faire pour se débarrasser du sagouin?

— Tu n'as qu'à écrire à la femme à barbe, lui expliquer le coup de la lutte des classes. C'est une personne à comprendre la chose... Mlle Meulière, tu penses ! Nous lui ferons porter la lettre demain matin par un drôle... Regarde comme la nuit est claire !

Des coqs se répondaient. Dans la lingerie du château où Fraulein avait oublié de fermer les rideaux, la lune éclairait Guillou, petit fantôme accroupi sur son vase, et derrière lui, se dressait, sans bras et sans tête, le mannequin qui ne servait jamais.

IV

Cette lettre apportée par un drôle
avait fait descendre de leur chambre
beaucoup plus tôt que de coutume,
sa mère et Mamie. Elles avaient ces
têtes terribles des vieux quand ils
se réveillent, et qu'ils ne sont pas
encore lavés, et que leurs dents grises
enchâssées dans du rose emplissent
un verre à leur chevet. Le crâne de
Mamie luisait entre les mèches jau-
nies et sa bouche vide aspirait les
joues. Elles parlaient toutes les deux
à la fois. Galéas attablé entre ses deux
chiens courants dont la gueule claquait lorsqu'il leur jetait une bou-

chée, buvait son café comme si ça lui faisait mal. On eût dit que chaque gorgée passait avec peine. Guillaume croyait que c'était l'énorme pomme d'Adam de son père qui faisait barrage à la nourriture. Il arrêtait sa pensée sur son père. Il ne voulait pas comprendre ce que signifiaient les injures qu'échangeaient sa mère et Mamie à propos de cette lettre. Mais il savait déjà qu'il n'entrerait plus jamais dans la chambre de Jean-Pierre.

— Cela ne m'atteint pas, vous pensez bien ! ce petit instituteur communiste ! criait Mamie. C'est à vous qu'il a écrit : le camouflet est pour vous, ma fille.

— Pourquoi un camouflet? C'est une leçon qu'il me donne, et qu'il a eu raison de me donner, et que je reçois sans honte. La lutte des classes? mais j'y crois, moi aussi. Sans lui vouloir de mal, je l'avais incité à trahir la sienne...

— Qu'est-ce que vous allez chercher, ma pauvre fille !

— Ce garçon qui a toute la vie devant lui, qui a le droit de tout espérer, j'ai cherché à le compromettre dans l'esprit de ses camarades et de ses chefs... Et pour qui? je vous le demande ! pour un petit arriéré, pour un petit dégénéré...

— Je suis là, Paule.

Elle devina plus qu'elle ne comprit cette protestation de Galéas qui n'avait pas levé le nez du bol plein de pain trempé. Lorsqu'il était ému, sa langue épaisse ne laissait passer qu'une bouillie de mots. Il ajouta à voix plus haute :

— Et Guillaume aussi est là.

— Ce qu'il faut entendre, tout de même ! cria Fraulein en disparaissant dans la souillarde.

Cependant la vieille baronne retrouvait le souffle :

— Guillaume est aussi votre fils, il me semble !

C'était la haine qui accélérait les hochements séniles de ce crâne déjà dénudé, déjà préparé pour le néant. Paule lui souffla à l'oreille :

— Regardez-les donc tous les deux. L'un n'est-il pas la réplique de l'autre? Voyons ! C'est hallucinant !

La vieille baronne se redressa, considéra sa bru de bas en haut et sans rien répondre, sans une parole pour Guillou, quitta la cuisine. Il n'y avait rien à déchiffrer sur la petite figure grise de l'enfant. D'ailleurs, un épais

brouillard régnait ; et comme Fraulein ne lavait jamais les vitres de
l'unique fenêtre, la cuisine n'était
guère éclairée que par la flambée de
sarments. Les deux chiens couchés,
le museau dans les pattes, les pieds
mal équarris de la table énorme
en furent un instant comme embrasés.

Personne ne parlait plus. Paule
avait passé la mesure, elle-même en
avait conscience : elle avait offensé
la race, des milliers de pères endormis.
Galéas se dressa sur ses longues
jambes, s'essuya les lèvres du revers
de sa main, demanda au petit s'il
avait là sa pèlerine. Il l'agrafa lui-
même à ce cou d'oiseau et lui prit la
main. Il donna des coups de pied aux
deux chiens qui sautaient sur lui,
voulaient le suivre. Fraulein lui de-

manda où ils allaient. Paule répondit
pour lui :

— Au cimetière, bien sûr !

Oui, c'était au cimetière qu'ils allaient. Un soleil rouge luttait contre
le brouillard qui se lèverait peut-être
ou retomberait en pluie. Guillou tenait
la main de son père, mais très vite
il dut la lâcher tant elle était moite.
Ils n'échangèrent aucune parole jusqu'à l'église. Le tombeau des Cernès
se dresse contre le parapet du cimetière qui domine la vallée du Ciron.
Galéas alla prendre une bêche dans
la sacristie. Le petit s'assit sur une
pierre tombale, un peu à l'écart. Il
rabattit son capuchon sur sa tête et
ne bougea plus. M. Bordas ne voulait plus s'occuper de lui. Le brouillard était sonore : un cahot de char-

rette, un chant de coq, un moteur
monotone se détachaient de l'accom-
pagnement ininterrompu du moulin
sur le Ciron, de l'écluse où les garçons se baignent nus, l'été. Un rouge-
gorge chantait tout près de Guillaume. Les oiseaux de passage qu'il
aimait étaient passés. M. Bordas ne
voulait plus s'occuper de lui. Personne d'autre ne le voudrait. Il dit
à mi-voix : « Ça m'est bien-t-égal... »
Il répéta comme pour braver un ennemi invisible : « Ça m'est bien-t-
égal... » Quel vacarme faisait l'écluse !
c'est vrai qu'il n'y a pas un kilomètre
à vol d'oiseau. Un moineau sortit de
l'église par le trou du vitrail. « Le
bon Dieu n'y est pas... » c'était de
ces choses que disait Mamie : « On
a enlevé le bon Dieu... » Il n'est pas
ailleurs qu'au ciel. Les enfants morts

deviennent pareils à des anges et leur face est pure et resplendit. Les larmes de Guillou, Mamie dit qu'elles sont salissantes. Plus il pleure et plus il a la figure sale, à cause de ses mains pleines de terre dont il se barbouille. Quand il va rentrer, sa mère lui dira... Mamie lui dira... Fraulein lui dira...

M. Bordas ne veut plus s'occuper de lui. Il n'entrera plus jamais dans la chambre de Jean-Pierre. Jean-Pierre. Jean-Pierre Bordas. C'est drôle d'aimer un garçon qu'on n'a jamais vu, qu'on ne connaîtra jamais. « Et s'il m'avait vu, il m'aurait trouvé vilain, sale et bête. » C'est ce que sa mère lui répète chaque jour : « Tu es vilain, sale et bête. » Jean-Pierre Bordas ne saurait jamais que Guillaume de Cernès était vilain, sale et bête : un sagouin. Et qu'était-il en-

core? qu'avait dit sa mère tout à
l'heure : ce mot qui avait été comme
une pierre que papa eût reçue dans
la poitrine? Il chercha et ne trouva
que « régénéré ». C'était un mot qui
ressemblait à « régénéré ».

Ce soir il dormirait, mais pas tout
de suite. Il faudrait attendre le sommeil, attendre durant une nuit pareille à celle de la veille où il avait
frémi de bonheur ; il s'était endormi
en pensant qu'au réveil il rever-
rait M. Bordas, que le soir dans la
chambre de Jean-Pierre, il commencerait à lire *Sans Famille*... Ah ! penser qu'autour de lui, ce soir, tout
serait pareil !... Il se leva, contourna
la tombe des Cernès, enjamba le parapet, prit un sentier en pente raide
qui descendait vers le Ciron.

Galéas tourna la tête et vit que

l'enfant n'était plus là. Il s'approcha
du parapet : le petit capuchon bougeait entre les règes de vigne, s'éloignait. Galéas jeta sa bêche et prit
le même sentier. Quand il ne fut plus
qu'à quelques mètres de l'enfant, il
ralentit. Guillou s'était débarrassé du
capuchon. Il n'avait pas de béret.
Entre ses grandes oreilles décollées
sa tête rase paraissait toute petite.
Ses jambes étaient deux sarments
terminés par des souliers énormes.
Son cou de poulet émergeait de la
pèlerine. Galéas dévorait des yeux ce
petit être trottinant, cette musa-
raigne blessée, échappée d'un piège
et qui saignait ; son fils, pareil à lui,
avec toute cette vie à vivre, et qui
pourtant souffrait déjà, depuis des
années. Mais la torture commençait
à peine. Les bourreaux se renouvelle-

raient : ceux de l'enfance ne sont pas
ceux de l'adolescence. Et il y en
aurait d'autres encore pour l'âge
mûr. Saurait-il s'engourdir, s'abrutir?
Aurait-il à se défendre, à tous les
instants de sa vie, contre la femme,
contre cette femme toujours là, contre
cette figure de Gorgone salie de bile?
La haine l'étouffait, mais moins forte
que la honte parce que c'était lui, le
bourreau de cette femme. Il ne l'avait
prise qu'une fois, qu'une seule fois ;
elle avait été comme une chienne enfermée, non pas l'espace de quelques
jours mais durant toute sa jeunesse,
et elle avait des années encore devant
elle à hurler après le mâle absent.
Et lui, Galéas, de quels songes, ac-
compagnés de quels gestes, trompait-
il sa faim ! Chaque soir, oui, chaque
soir... Et le matin encore... Tel serait

le sort de cet avorton né de leur
unique embrassement, qui trottait, se
hâtait, vers quoi? Le savait-il? Bien
que le petit n'eût à aucun moment
tourné la tête, peut-être avait-il flairé
la présence de son père. Galéas en
fut tout à coup persuadé : « Il n'ignore
pas que je le suis à la trace. Il ne
cherche ni à se cacher de moi, ni à
brouiller ses pistes. C'est un guide
qui me mène là où il souhaite que
j'aille avec lui. » Galéas ne regarde
pas en face l'issue vers laquelle se
hâtent les deux derniers Cernès. Des
aulnes frémissants annoncent que la
rivière est proche. Ce n'est plus le roi
des aulnes qui poursuit le fils dans une
dernière chevauchée, mais l'enfant
lui-même qui entraîne son père décou-
ronné et insulté vers l'eau endormie
de l'écluse où l'été les garçons se

baignent nus. Voici qu'ils sont près d'atteindre les humides bords du royaume où la mère, où l'épouse ne les harcèlera plus. Ils vont être délivrés de la Gorgone, ils vont dormir.

Ils avaient pénétré sous le couvert des pins que le voisinage de la rivière rend énormes. Les fougères encore vivantes étaient presque aussi hautes que Guillou dont Galéas apercevait, émergeant à peine de leur houle fauve, le crâne tondu ; et il disparaissait de nouveau à un tournant du chemin de sable. Ils auraient pu rencontrer un résinier, le muletier du moulin, un chasseur de bécasses. Mais tous les comparses s'étaient retirés de ce coin du monde pour que s'accomplisse enfin l'acte qu'ils de-

vaient commettre, — l'un entraî-
nant l'autre? ou le poussant malgré
lui? Qui le saura jamais? Il n'y eut
d'autres témoins que les pins géants
pressés autour de l'écluse. Ils brû-
lèrent durant l'août qui suivit. On
tarda à les exploiter. Ils étendirent
longtemps leurs bras calcinés sur
l'eau endormie. Longtemps encore,
ils dressèrent dans le ciel leurs faces
noires.

Il fut admis que Galéas s'était jeté
à l'eau pour sauver son fils, que le
petit s'était accroché à son cou et
l'avait entraîné. Les vagues rumeurs
qui avaient couru d'abord cédèrent
vite devant cette image attendrissante
d'un père que son fils en se raccro-
chant entraîne à l'abîme. Si quelqu'un
hochait la tête et disait : « Pour moi, les
choses n'ont pas dû se passer comme

ça... » il n'arrivait pas à imaginer ce qui avait pu être. Non, n'est-ce pas? Comment soupçonner un père qui chérissait son petit garçon et l'amenait avec lui tous les jours au cimetière?... « M. Galéas était un peu simple, mais le bon sens ne lui manquait pas et il n'y avait pas plus doux. »

Personne ne disputa à Fraulein la pèlerine de Guillou qu'elle avait détachée ruisselante de son petit corps. La vieille baronne se réjouissait parce que ses enfants Arbis auraient Cernès; et puis Paule disparaissait de sa vie. Les Meulière l'avaient recueillie. Elle leur était retombée sur les bras, comme ils disaient. Mais elle avait une tumeur « de mauvaise nature ». Sur les murs ripolinés, dans cette atmosphère suffocante de la clinique (et l'infirmière rentre avec le bassin, que vous le vouliez ou que vous ne le vouliez pas, et même si vous n'avez plus la force d'ouvrir les yeux — et cette morphine que son foie supportait mal — et ces visites de sa tante désolée d'une énorme dépense inutile puisque la récidive était certaine) sur ces murs ripolinés parfois la grosse tête frisée de Galéas lui apparaissait comme sur l'écran, et le sagouin levait au-dessus d'un livre déchiré, d'un cahier taché d'encre, sa petite figure barbouillée et anxieuse. Peut-être imaginait-elle ces choses? L'enfant s'était approché du bord le plus possible : il tremblait, il avait peur, non de la mort mais du froid. Son père s'était avancé à pas de loup... Là, elle hésitait : l'avait-il poussé, et s'était-il précipité après

lui? ou bien avait-il pris l'enfant dans
ses bras en lui disant : « Serre-moi
bien fort, ne tourne pas la tête... »
Paule ne savait pas, elle ne le saurait
jamais. Elle était contente que sa
mort à elle fût si proche. Elle répé-
tait à l'infirmière que la morphine
lui faisait mal, que son foie ne supportait aucune piqûre, elle voulait
boire ce calice jusqu'à la dernière
goutte — non certes qu'elle crût
qu'il existe, ce monde invisible où
nos victimes nous ont précédés, où
nous pourrons tomber aux genoux
des êtres qui nous avaient été confiés
et qui, par notre faute, se sont perdus.
Elle n'imaginait pas qu'elle pût être
jugée. Elle ne relevait que de sa
conscience. Elle s'absolvait d'avoir eu
horreur d'un fils, réplique vivante
d'un horrible père. Elle avait vomi

les Cernès, parce qu'on n'est pas maître de sa nausée. Mais il avait dépendu d'elle de ne pas partager la couche de ce monstre débile. Cet embrassement à quoi elle avait consenti, voilà à ses yeux l'inexpiable crime.

La douleur parfois était si aiguë que Paule cédait à la tentation de la morphine. Alors dans la rémission un instant obtenue, elle songeait à d'autres vies qui eussent été possibles. Elle était la femme de Robert Bordas ; des petits garçons robustes l'entouraient, dont la lèvre inférieure n'était pas pendante, et qui ne bavaient pas. L'homme la prenait chaque soir dans ses bras. Elle dormait contre sa poitrine. Elle rêvait du pelage des mâles, de leur odeur. Elle ne savait pas quelle heure du jour ou de la nuit il était. Déjà la douleur

cognait à la porte, pénétrait en elle,
s'installait, commençait à la dévorer
lentement.

Une mère qui a honte de son fils
et de son petit-fils, cela ne devrait
pas être permis, songe Fraulein. Elle
ne pardonne pas à sa maîtresse d'avoir
si peu pleuré Galéas et Guillou, d'avoir
peut-être été contente de leur mort.
Mais Mme la baronne le paiera cher.
Les Arbis ne la laisseront pas mourir en paix à Cernès. « Si je répétais
à Mme la baronne ce que leur chauf-
feur disait, le soir de l'enterrement !
Un jardinier, un aide-jardinier, deux
domestiques, tout un train de maison
à son âge, ils trouvent que ce n'est
pas raisonnable. J'ai su qu'ils s'étaient
informés des prix à la maison de retraite de Verdelais chez les Dames de

la Présentation. » La baronne agite sa tête de rapace chauve au-dessus des oreillers. Elle n'ira pas chez les Dames de la Présentation. « Si les Arbis l'ont décidé, Mme la baronne ira, et moi avec elle. Mme la baronne n'a jamais su dire non aux Arbis : ils lui font peur, et à moi aussi ils me font peur. »

Aujourd'hui jeudi, les enfants ne viendront pas. Mais l'instituteur a du travail à la mairie. Il passe rapidement une main éponge sur sa figure tuméfiée par le sommeil. A quoi bon se raser, et pour qui? Il ne met pas de souliers : par un temps pareil, les chaussons tiennent les pieds chauds et avec les sabots, il n'y a pas à craindre de les mouiller. Léone est allée à la boucherie. Il écoute la pluie sur les tuiles : une flaque s'élargit

d'une ornière de la route à l'autre.
Lorsque Léone rentrera, elle lui de-
mandera : « A quoi penses-tu? » Il
répondra : « A rien. » Ils n'ont parlé
de Guillou que le jour où les corps
ont été repêchés contre la roue du
moulin. Ce jour-là, il a dit une seule
fois : « Le petit s'est tué, ou bien c'est
son père qui... » et Léone a haussé les
épaules : « Penses-tu! » Et puis ils
n'ont jamais plus prononcé le nom
de l'enfant. Mais Léone sait que le
petit squelette sous sa pèlerine et
sous son capuchon erre jour et nuit
entre les murs de l'école et se faufile
dans la cour de récréation, sans se
mêler aux jeux. Elle est à la boucherie. Robert Bordas entre dans la
chambre de Jean-Pierre, prend *l'Ile
mystérieuse;* le livre s'ouvre seul à la
même page : *...Le pauvre être fut sur*

*le point de s'élancer dans le creek qui
le séparait de la forêt et ses jambes se
détendirent un instant... Mais presque
aussitôt il se replia sur lui-même. Il
s'affaissa à demi et une grosse larme
coula de ses yeux. Ah! s'écria Cyrus
Smith, te voilà donc redevenu un homme
puisque tu pleures!* M. Bordas s'assit
sur le lit de Jean-Pierre, le gros livre
rouge et or ouvert sur ses genoux.
Guillou... l'esprit qui couvait dans
cette chair souffreteuse, ah ! que c'eût
été merveilleux de l'aider à jaillir !
Peut-être était-ce pour ce travail que
Robert Bordas était venu en ce
monde. A l'École normale, un de leurs
maîtres leur apprenait les étymolo-
gies : *instituteur* de *institutor*, celui
qui établit, celui qui instruit, celui
qui institue l'humanité dans l'homme ;
quel beau mot ! D'autres Guillou se

trouveraient sur sa route peut-être.
A cause de l'enfant qu'il avait laissé
mourir, il ne refuserait rien de lui-
même, à ceux qui viendraient vers lui.
Mais aucun d'eux ne serait ce petit
garçon qui était mort parce que M. Bordas l'avait recueilli, un soir et puis
l'avait rejeté comme ces chiots perdus
que nous ne réchauffons qu'un instant.
Il l'avait rendu aux ténèbres qui le
garderaient à jamais. Mais étaient-
ce bien les ténèbres? Son regard
cherche au delà des choses, au-delà
des murs et des meubles et des tuiles
du toit, et de la nuit lactée, et des
constellations de l'hiver, cherche,
cherche ce royaume des esprits d'où
peut-être l'enfant éternellement vivant voit cet homme et, sur sa joue
noire de barbe, la larme qu'il oublie
d'essuyer.

LE SAGOUIN

L'herbe du printemps envahit le cimetière de Cernès. Les ronces recouvrirent les tombes abandonnées et la mousse acheva de rendre les épitaphes indéchiffrables. Depuis que M. Galéas a pris son petit garçon par la main et a choisi de partager leur sommeil, il n'y a plus personne à Cernès pour s'occuper des morts.

cap. 1° - Un biddenhati between PAVE to the noble family —
to him she's "his enemy". Supposed (p. 24) to have had an
affair with a curé — outcome — in her 1st years of
marriage.

Key words : solitude (p 25)   isolement (p. 27)
            au poids intolérable (p. 33)

p. 43. La belle-mère contrôle le fils, Galéas
p. 53. elle paraissait la plus redoutable
p. 57. faire la haine — ça repose.

p. 61. la vallée du Crain

cap. 3°.   p. 102. il eut comme la sensation
         de sa différence ; de sa solitude.

Cap. 4°.